3·1운동 100년

역사의 현장 I

3·1운동 100년

역사의 현장 Ⅰ

1판 1쇄 인쇄 2020년 2월 3일
1판 1쇄 발행 2020년 2월 17일

지은이 동아일보 특별취재팀
발행인 임채청

펴낸곳 동아일보사 | **등록** 1968.11.9(1-75) | **주소** 서울시 종로구 청계천로 1 (03187)
편집 02-361-0949 | **팩스** 02-361-1041
인쇄 중앙문화인쇄

ISBN 979-11-87194-77-4 04910 | 979-11 87194-76-7(세트)

3·1운동 100년

역사의 현장 I

동아일보 특별 취재팀

동아일보사

민족의 미래를 밝히는
희망의 등불

지금으로부터 100년 전인 1919년 3월, 한반도 전역에서 거대한 용암과도 같은 민족의 에너지가 분출됐습니다. 남쪽의 제주도에서 북쪽의 함경도에 이르기까지 1,690여 차례에 걸쳐 대한독립만세를 외치는 3·1운동이 전개됐습니다. 3·1운동은 비단 국내에서만 그치지 않았습니다. 일본 제국주의의 심장부였던 도쿄와 오사카, 중국 상하이와 북만주, 러시아 블라디보스토크와 우수리스크 등 연해주 일대, 더 멀리는 미국 샌프란시스코와 멕시코 등한국인 동포들이 집단으로 거주하는 곳이라면 어디든 국내 3·1운동과 호흡을 같이했습니다.

한국에서 연인원 최대 103만여 명(국사편찬위 삼일운동 데이터베이스)이 참여한 이 거족적 대일 항쟁에 대해 일제는 총격 발포 등으로 무자비하게 탄압했습니다. 그러나 한국인들은 일제의 야만적인 총검 앞에서도 굴하지 않았고, 마침내 중국 상하이에서 대한민국임시정부 출범이라는 소중한 결실을 보았습니다. 한국인들을 위력으로만 굴복시킬 수 없다고 판단한 일제는 우리 민족을 회유하기 위해 이른바 '문화정치'를 내세우기도 했습니다.

이처럼 100년 전의 3·1운동은 한민족의 강한 정체성, 나아가 민주주의 의식을 국내외에 과시한 '한국적 굴기(崛起)'의 원형이라 할 수 있습니다. 또한 3·1운동은 종교, 신분, 성별, 지역 등을 초월해 모든 한국인이 한마음으로 뭉쳐 일으킨 민족운동으로, 세계 역사에서도 그 유례를 찾아보기 힘듭니다.

이 책은 동아일보 기자들이 2년여에 걸쳐 3·1운동에 뛰어든 순국선열 및 애국지사들의 숭고한 삶과 역사적 현장을 직접 찾아다니면서 발굴한 귀중한 기록입니다. 3·1운동의 묻혀진 진실과 함께 전국 방방곡곡에서 선조들이 보여준 감동스러운 장면이 생생하게 펼쳐져 있습니다. 또한 이 책은 3·1운동이 단순한 과거사가 아니라 현재, 나아가 우리의 미래를 밝혀줄 지표라는 점을 제

시하고 있습니다. 독립운동가 후손의 한 사람으로서 이 책이 위

대한 한국인들의 미래를 밝혀주는 밝은 등불이 되길 기대합니다.

이종찬

국립 대한민국임시정부기념관건립위원회 위원장
3·1운동100주년 서울시기념사업위원회 위원장

지금도 살아 숨 쉬는
3·1운동의 역사

3·1절 99돌을 맞이하던 2018년 3월 1일, 동아일보 '3·1운동 특별취재팀' 기자들은 2년여에 걸친 독립만세운동 대장정의 길에 나섰습니다. '3·1운동 100년 역사의 현장'이라는 주제로 3·1운동이 전개된 국내외 각지의 현장을 일일이 답사하고, 독립운동가 후손을 인터뷰하는 등 100년이 지난 지금에도 살아 숨 쉬는 3·1운동의 역사를 취재해 신문에 연재해왔습니다.

이제 순국선열과 애국지사의 삶이 배어 있는 현장을 찾아가는 긴 여정을 마치고, 그간 연재했던 글을 모아 책으로 엮었습니다. 책에서는 지면의 한계로 다 싣지 못한 얘기들을 더하고, 관련 전문가들의 최신 연구 업적을 보태 글의 완성도를 높이고자 했습니다.

 돌이켜보건대, 일제의 총검과 가혹한 탄압을 뚫고 삼천리 방방 곡곡을 뒤덮은 선조들의 만세 함성이 지금도 귓전에 메아리치는 듯합니다. 당시 13도 220개 군의 행정 체제였던 한반도에서 무려 211개 군(95.9%)이 만세운동에 참가했습니다. 그야말로 한반도 전 지역에서 만세운동이 벌어진 것이나 다름없습니다.

 일제는 평화적인 시위로 진행된 3·1운동을 총칼로 짓밟았습니다. 이 과정에서 7,500여 명이 살해됐고 1만 6,000여 명이 부상했습니다. 하지만 한민족의 독립 열망을 확신시켜준 3·1운동은 결코 헛되지 않았습니다. 3·1운동의 열기는 한 달 뒤 중국 상하이에서 대한민국 임시정부 수립으로 이어졌고, 중국과 인도 등의 독립운동에도 큰 영향을 미쳤습니다. 민족의 표현기관을 자임한 〈동아일보〉의 창간(1920년) 역시 3·1운동이 가져온 결과물이었습니다.

 취재팀은 독립운동가들과 그 후손의 가혹했던 삶을 취재하며 적잖은 눈물을 흘려야 했습니다. 아직도 우리 사회가 그들에게 진 빚을 다 갚지 못하고 있다는 사실에 가슴이 아팠습니다.

선조들이 흘린 피와 눈물의 역사인 3·1운동은 우리에게 묻고 있습니다. 우리는 선열들의 기대에 어긋남이 없는 그런 나라를 만들어가고 있는 건가요? 우리 민족은 70년 넘도록 분단됐고, 지역, 계층, 이념 간 갈등의 골도 메워지지 않고 있습니다. 그래서 더욱 절실히 느껴지는 게 통합의 3·1정신입니다. 취재팀이 이 책을 발간하는 이유이기도 합니다. 독자 여러분에게 그날의 함성이 들려지고, 뜨거운 조국 독립의 열망이 전달되기를 간절히 기원합니다.

동아일보 특별취재팀

차 례

밀명

제국의 심장에 비수를 꽂아라

1919년 1월 중순, 중국에 기반을 둔 비밀 독립운동 조직 동제사(同濟社)의 밀명이 각 지역 요원들에게 떨어졌다. 상하이의 프랑스 조계(租界) 패륵로(貝勒路)에서 활동하던 20대 중반의 한 청년 요원에게도 지령서가 전달됐다.

우리 동포는 각지에서 독립을 선언하여 운동을 개시할 예정이다. 그런데 일본 관헌은 반드시 이 운동의 진상을 해외에 보도하는 것을 금할 게 명백하므로, 귀하는 일본인처럼 꾸미고 도쿄와 경성(서울)에 가서 운동의 상황을 상하이 〈중화신보(中華新報)〉 기자인 동지 조동우에게 기별하라.

도쿄에는 조용운을 파견해두었으니 도쿄에 도착하면 와세다 대기실 앞으로 우편을 보내 그와 연락을 취해 상세하게 협의할 것. 그리고 도쿄에서의 운동은 2월 초순에, 경성에서의 운동은 3월 초순에 실행하기로 돼 있으니, 도쿄에서의 정황 통신을 끝내는 대로 곧 경성으로 가서 그곳 정황을 연락해주기를 바람. (조선총독부 경상북도경찰부, 《고등경찰요사》)

동제사의 수장 신규식(1879~1922, 《고등경찰요사》에서는 상하이 거주 불령조선인의 수령 '신견'으로 표기됨)이 동제사의 젊은 요원 중심으로 설립한 신한청년당의 장덕수(1894~1947)에게 내린 지령이었다. 지령서 말미에 '귀하가 만일 일본 관헌에 체포돼도 당의 행동 및 나(신규식)의 씨명(氏名)에 관해선 절대로 비밀을 엄수해주기 바란다'고 당부할 정도로 극도의 보안을 요하는 내용이었다.

동제사의 비밀 요원

일본어를 일본인처럼 능숙하게 구사하는 장덕수는 일찌감치 기무라 겐지(木村謙二)라는 이름으로 위장해 활동하던 청년 요원이었다. 1919년 1월 27~28일, 장덕수는 상하이 부두에서 일본의 국제 항구인 나가사키로 가는 배에 올랐다. 나가사키를 경유해 도쿄에 도착한 날은 2월 3일경이었다. 도쿄에서는 중국 유학생 유모(劉某)로 위장해 간다구(神田區)의 한 여관에 여장을 풀었

念紀園申

동제사를 이끈 주요 인물들. 왼쪽부터 신채호, 신석우, 신규식. (사진 제공: 역사공간)

다. 3년 만에 다시 찾은 도쿄는 별로 변하지 않았다. 유학 시절 자주 찾아가 돈을 내고 책을 빌려 보았던 간다구의 서점가도 그대로였다. 장덕수는 1916년 7월 와세다대 정치경제학과를 2등으로 졸업한 뒤 곧바로 귀국했다가 상하이로 가 본격적으로 독립운동 전선에 뛰어든 차였다.

장덕수는 신주쿠에 있는 모교 와세다대를 찾았다. 그는 재학 시절 정치경제학과가 차세대 정치인을 양성하고자 의욕적으로 추진한 모의국회와 웅변대회에서 발군의 실력을 뽐냈다. 탁월한 언변 덕에 '조선인 대웅변가' '털보 웅변가'라는 별명까지 얻었다. 장덕수는 수염이 많아서 그를 좋아하는 학생들 사이에 '털보'라는 애칭으로도 불렸다.

그러나 감회도 잠시, 장덕수는 서둘렀다. 조용운을 만나기 위해 와세다대 대기실의 우편함을 통해 비밀 접선을 시도했다. 동제사 요원들은 비밀을 맹약하고, 간부들끼리는 암호를 사용해 왕래했다. 모두 기밀을 유지하기 위해서였다.

2월 5일 밤, 암호를 사용해 도쿄 시바코엔(芝公園) 산문(山門) 앞에서 만난 두 요원은 공원 내 으슥한 곳으로 이동해 밀담을 나눴다. 조용운이 장덕수에게 말했다.

"내가 도쿄 유학생 측에 권유한 결과 학생들이 드디어 오는 2

월 8일에 독립선언을 할 것을 결정했소."(조선총독부 경상북도경찰부,

〈고등경찰요사〉)

조용운의 말을 들은 장덕수는 동제사 수장으로부터 받은 밀지의 내용대로 일이 무탈히 진행되고 있다는 사실에 적잖이 안심했다.

장덕수는 조용운을 만난 데 이어 도쿄 거사의 핵심 역할을 하는 유학생들과 접촉하기 위해 은밀히 움직였다. 투사적 면모가 물씬 나는 최팔용(1891~1922)을 오랜만에 만난 장덕수는 기뻤다. 와세다대 동문인 장덕수와 최팔용은 여러모로 깊은 인연을 맺고 있었다.

장덕수는 재일 유학생의 대표 조직인 재동경조선유학생학우회의 기관지인 〈학지광(學之光)〉의 논객으로 민족운동에 앞장섰고, 1916년 초에는 도쿄에서 중국 및 대만 유학생들과 함께 반일 및 반제국주의 국제연대조직인 신아동맹당(新亞同盟黨)을 조직해 간사로 활동했다.

정치경제학과 후배인 최팔용 역시 비슷한 길을 걷고 있었다. 최팔용은 조선에서도 인기를 끈 〈학지광〉의 편집부장을 맡고 있었고, 장덕수가 귀국한 뒤에는 신아동맹당에도 가입해 활동했다. 둘 다 뜻이 맞았고, 화통한 성격도 비슷했다.

장덕수는 믿음직한 동문 최팔용으로부터 일본 쪽의 움직임을
상세히 전해 들었다.

고육계(苦肉計)로 일본 경찰을 속이다

당시 일본 유학생들의 움직임은 심상치 않았다. 도쿄에 근거지
를 둔 유학생들은 동제사 요원이 도착하기 전부터 이미 세계 정
세에 촉각을 예민하게 세우고 있었다. 무언가 해야 하지 않는가
하는 절박한 마음이 유학생들 사이에 형성돼 있었다.

최팔용 등 유학생들은 1918년 12월 일본 고베(神戸)에서 발간
하는 영자신문(〈The Japan Advertizer〉)의 기사('Korea, Agitate for
Independence')와 미주 동포들이 발행하는 〈신한민보〉 같은 신문
을 통해 한국인들의 해외 독립운동 소식을 접하며 한껏 고무돼
있던 참이었다.

여러 매체가 전하는 뉴스에 따르면 제1차 세계대전이 연합국
의 승리로 끝나고 전후 문제를 처리하기 위한 국제회의가 파리
에서 열리며, 미국 대통령 윌슨이 민족자결주의 원칙을 천명한
가운데, 재미동포들이 한국의 독립운동에 대한 미국의 지원을
요청하는 청원서를 미국 정부에 제출했다고 했다. 또 미국에 있

는 이승만 등 대표단이 파리로 향한다거나 미주 동포들이 거액의 독립 자금을 모금했다는 내용도 있었다.(최승만,《나의 회고록》)

일본 유학생들 사이에선 더 이상 가만히 앉아 있을 수 없다는 분위기가 팽배했다. 1919년 1월 6일 오후 7시, 조선기독교청년회관(YMCA)에서 조선유학생학우회가 주최하는 웅변대회가 열렸다. 도쿄에 거주하는 200여 명의 한국인 유학생이 참여했다. 겉으로는 웅변대회였지만 실제로는 독립운동을 모의하는 자리였다. 유학생들은 이날 이후 모임을 몇 차례 가진 끝에 독립운동을 주도적으로 추진해나갈 대표(실행 위원)들을 만장일치로 선출했다. 최팔용(와세다대), 백관수(세이소쿠영어학교), 윤창석(아오야마학원), 서춘(도쿄고등사범학교), 김철수(게이오대), 김상덕(세이소쿠중학교), 이광수(와세다대), 송계백(와세다대), 이종근(도요대), 최근우(도쿄고등사범학교), 김도연(게이오대) 등 모두 11명이었다. 그렇게 도쿄 2·8독립선언의 씨앗이 뿌려졌다.

그런데 이때 문제가 발생했다. 유학생들의 낌새를 수상히 여긴 일본 경찰의 감시와 미행이 강화된 것이다. 특히 11명의 대표들은 경시청(警視廳)의 갑호(甲號) 요시찰 대상에 올라 꼼짝도 못할 정도로 미행이 따라붙었다. 식민지 통치 시대에, 그것도 적지인 일본의 심장부 한복판에서 학생 신분으로 일본 경찰의 감시를 피해가면서 독립운동을 추진한다는 건 결코 쉬운 일이 아니었

다.(김도연,《나의 인생백서》)

그해 1월 중순, YMCA 2루(樓) 북사실(北使室)에서 유학생 대표 11명이 비밀리에 모였다. 이들은 일본 경찰의 감시망을 피하기 위해 고육계를 썼다. 대표자 내부에서 분열된 모습을 보여주기로 했다. 대표들 중 핵심이자 중진인 최팔용, 백관수, 김도연이 탈퇴 성명을 발표했다. 작전이 먹혀들어갔다. 일본 경찰은 탈퇴하지 않은 나머지 대표들에게만 감시망을 붙였다.(《앞길》19호, 1937년 7월 5일자)

일본 경찰의 감시를 벗어난 최팔용, 백관수, 김도연 등은 '학우회'나 '유학생친목회'의 이름으로 독립선언을 하기에는 적합하지 않다는 데 뜻을 모으고 '조선청년독립단'을 조직하기로 결정했다. 대표들은 독립단의 이름으로 '독립선언서'와 '결의문' '민족대회소집청원서'를 일본 국회와 각국 대사관 및 공사관, 각 언론사 등에 보내기로 결의했다. 독립선언서 초안은 이광수가 썼고 백관수 등이 보완 작업에 참여했다.

최팔용으로부터 그간 도쿄 유학생들이 활약한 이야기를 들은 장덕수는 와세다대 동문, 그리고 자신이 활동했던 조선학회와 신아동맹당 멤버들이 독립선언의 선봉으로 나섰다는 사실에 고무됐다.

상하이에 나타난 윌슨 대통령의 특사

최팔용에게 도쿄 독립운동 정보를 들은 장덕수는 상하이에서 벌어진 최근 소식을 전해주었다. 1914년에 발발한 제1차 세계대전이 4년 만인 1918년 11월 11일 미국, 영국, 프랑스 등 연합국의 승리로 끝나자 상하이는 축제 분위기였다. 거기다가 11월 말 미국 윌슨 대통령의 개인 특사인 찰스 크레인(Charles Crane)이 중국 상하이를 방문하자 승전 분위기는 절정에 이르렀다. 그는 중국상공회의소, 중국YMCA 등이 자신을 환영하기 위해 마련한 오찬 자리에 참석해 중국인들 앞에서 이렇게 연설했다.

> "파리강화회의는 각국 모두 중대한 사명을 다하는 것으로 그 영향도 또한 큰 것이다. …… 피압박 민족에게 있어서는 그 해방을 도모하는 데 최적의 기회이기 때문에 중국에서도 대표를 파견해 피압박 상황을 말하고, 그 해방을 도모해야 한다." (연설회에 참석한 여운형에 대한 경기도 경찰부의 피의자 신문조서 제1회, 《몽양 여운형 전집》 1권)

미국 대통령 특사가 말로만 듣던 민족자결주의를 직접 밝히면서 약소민족 해방을 설파한 것이다. 승전국의 일원이면서도 일본에 예속된 중국에도 파리강화회의에 참석해 이를 주장하라고 조언하지 않는가. 상하이의 독립지사들은 이를 절호의 기회로 보았다. 이 모임에 참석해 감동을 받은 여운형은 중국 지인을 통해 크레인을 만났다.

"이 기회에 우리는 일제의 압박과 지배에서 해방되어야 하겠다. 그러기 위해서는 강화회의에 우리도 대표를 파견해 우리 민족의 참상과 일본의 야만적 침략성을 폭로해야겠다. 당신의 원조를 요청한다."(여운홍, 《몽양 여운형》)

여운형의 요청에 '민족자결주의의 전도사'를 자처하는 크레인 역시 긍정적으로 답했다. 여운형의 발빠른 행동에 맞춰 동제사의 젊은 요원들은 즉시 신한청년당을 조직해 대표성을 갖추고, 크레인을 통해 미국 윌슨 대통령과 파리강화회의에 보내는 독립청원서를 작성했다(두 곳에 최종 전달되지는 못한 것으로 파악된다). 그리고 김규식을 신한청년당 대표 자격으로 파리에 파견하기로 결정했다.

아울러 한국을 대표하는 김규식의 파리 활동에 힘을 실어주기 위해서는 국내외에서 대규모 독립운동과 선전 활동이 필요하다고 판단했다. 그중에서도 일본 제국주의의 심장부인 도쿄에서 대대적인 독립운동이 일어난다면 가장 효과적이고 파급력이 큰 선전이 될 터였다. 동제사 수장 신규식이 1차 조용운 파견에 이어서 2차로 장덕수까지 파견한 것도 도쿄에서의 독립운동이 매우 중요했기 때문이다.

신규식이 장덕수를 중국에 파견한 것은 재일 유학생들의 파리강화회의 대표 파견을 위한 조치였다는 견해도 있다. 조선총독부 경무총장의 보고에 따르면 사정은 이렇다. 파리강화회의에 조선인 대표자를 파견하기 위해서는 미국, 서·북간도, 노령(러시아령), 상하이, 도쿄 등 각 방면과 협동해야 효과가 클 터였다. 그래서 장덕수가 도쿄 유학생들과 이를 협의하기 위해 일본에 갔으며, 각 지역을 대표하는 사람들이 우선 중국 베이징에 모여 비밀 회동하기로 했다는 것이다. 실제로 도쿄에서 2·8독립선언서 작성 작업을 마친 이광수는 곧바로 중국으로 떠났는데, 동제사 요원이기도 했던 그가 재일 유학생들의 파리강화회의 대표자 파견 움직임과 관계가 있었던 것으로 추정된다.

장덕수로부터 저간의 상황을 전해 들은 최팔용은 해외 각지에서 동포들이 활발한 독립운동을 준비하고 있으며, 그중 일본 유학생들의 역할이 클 거라는 사실에 한층 결의를 다졌다.

상하이에서 비밀리에 파견된 2명의 비밀 요원과 도쿄 유학생들의 만남은 적국의 심장부에 비수를 꽂는 모의에 일단 성공했다.

이들은 1919년 2월 8일의 그날까지 모든 일정을 꼼꼼히 챙겼다. 바야흐로 일본의 심장부 도쿄는 전 세계에 우리나라의 독립을 선포하는 최전선 기지로 변신하고 있었다.

비밀 정보기관 동제사

1912년에 결성된 비밀 결사조직 동제사의 전체 조직은 구체적으로 드러난 적이 없다. 상하이에 기반을 둔 동제사 본부는 이사장(신규식)과 총재(박은식), 몇 명의 간사가 지휘했다. 그 아래로 다시 사장과 간사를 둔 지사(분사)가 중국의 베이징과 톈진(天津), 만주, 노령 지역, 미국 등 구미 지역과 일본 등지에 설치됐고 전성기에는 300여 명의 회원을 두었다는 정도로만 알려졌다.

동제사의 '동제'는 동주공제(同舟共濟), 즉 같은 배를 타고 함께 강을 건넌다는 뜻으로, 협동과 단결을 의미한다. 동제사는 처음에는 중국 난징(南京)과 상하이 지역 한인 유학생들을 상대로 미국과 중국 학교로의 유학 알선, 한인 합숙소 등 생활 편의 제공, 상호 부조 등의 활동을 하다가 조직이 확대되면서 비밀 독립운동단체로서의 성격을 드러냈다.(정병준, 〈중국 관내 신한청년당과 3·1운동〉)

동제사는 국내외에 연결된 조직망을 중심으로 국제 정세에 관한 정보를 수집하고 이를 민족운동 진영에 전파해 세력을 규합하는 등 반일(反日) 독립운동을 했다. 미국 샌프란시스코에서 발행되는 〈신한민보〉와 하와이의 〈국민보〉를 입수해 중국 안동현(安東縣, 현 단둥)을 통해 국내로 반입, 유포하는 등 국내 독립운동에 활력을 불어넣은 것도 동제사 조직이 있었기에 가능했다.(김희곤, 〈동제사의 결성과 활동〉)

동제사가 사용한 도장. (사진 제공: 경기도박물관)

또 동제사는 교육기관인 박달학원을 통해 독립운동 인재들을 배출하고 있었다. 동제사와 박달학원에서 배출한 학생들은 10년 간 100여 명에 이르렀다.〔《특고경찰관계자료집성(特高警察關係資料集成)》 제12권〕 독립운동에 헌신하고자 하는 학생들은 중국 군사학교에 입학해 정규 군사교육을 받기도 했다. 이렇게 동제사를 통해 문무를 겸비한 독립운동가들이 지속적으로 배출됐다.(민필호, 《예관 신규식 선생 전기》)

동제사는 한국 독립운동사에 굵직한 족적을 남긴 독립운동가들이 대거 회원으로 참여했다. 신규식과 박은식을 필두로 김규식, 박찬익, 문일평, 신채호, 신건식, 이광, 민충식, 정항범, 김용준, 조소앙, 이광수, 홍명희, 정원택, 김갑, 신무, 신철, 조동호, 정덕근, 김용호, 이찬영, 민제호, 김탁, 민필호, 윤보선, 이찬영, 신석우, 변영만 등 40여 명이 중심인물로 활동했다.

한편 상하이 주재 일본총영사관의 비밀 보고에 따르면 상해(상하이)에는 동제사 본부, 안동(단둥)에는 제1지부, 북경(베이징)에는 제2지부, 열하(청더)에는 제3지부가 설치된 것으로 파악됐다.

신규식의 밀명을 받고 일본으로 잠입한 장덕수 역시 일찌감치 동제사와 인연을 맺고 있었다. 신규식은 1912년 동제사를 설립한 데 이어, 곧장 중국 신해혁명의 주역들과 함께 자매조직인 신아동제사(新亞同濟社)를 발족해 한중(韓中) 연대의 길을 열었는

데, 당시 일본 유학생이던 장덕수는 반일·반제국주의 국제연대 조직인 신아동맹당의 중심인물로 활동하고 있었다. 신규식이 조직한 신아동제사는 장덕수가 활약한 신아동맹당과 그 취지와 목적이 거의 동일했다.(정병준, 〈중국 관내 신한청년당과 3·1운동〉) 강덕상의 연구에 따르면 신아동맹당은 신아동제사(혹은 신아동제회)의 일본 지부였다고 한다.(강덕상, 《여운형 평전》1)

한편 조용운의 정체는 사실 2·8독립선언 운동사의 최대 미스터리 중 하나다. 일제의 《고등경찰요사》에는 조용운을 동제사의 핵심 조직원인 조소앙으로 파악하고, 그가 도쿄에서 최팔용과 장덕수를 접선했다고 기술하고 있다. 반면 동제사 요원 정원택이 남긴 《지산외유일지(志山外遊日誌)》에는 조소앙이 1919년 1월 말에서 2월 초 사이에 중국 지린(吉林)에 체류하고 있었다고 기록하고 있어, 조소앙의 도쿄 활동을 부정적으로 보기도 한다. 이화사학연구소 강영심 연구원은 조용운을 조소앙과 함께 상하이에서 독립운동을 한 친동생 조시원(조용원)으로 추정하는 시각도 있다고 밝혔고, 한양대 박찬승 교수는 당시 미국에서 일본으로 건너와 장덕수를 만난 여운형의 동생 여운홍일 것으로 추측했다.

제1장 〈밀명〉 관련 주요 인물 (자료 출처: 이숙화, 〈대종교의 민족운동 연구〉)

이름	생년	출신지	출신 학교	종교
신규식	1880	충북 청원	관립한어학교, 무관학교	대종교
박은식	1859	황해 황주	한학	대종교
신채호	1880	충북 대덕	한학	대종교
문일평	1888	평북 의주	와세다대 정치학부 중퇴	
김규식	1881	부산	로노크대 영문과	기독교
조성환	1875	서울	무관학교	대종교
신석우	1894	서울	와세다대	기독교
박찬익	1884	경기 파주	관립상공학교, 관립공업전습소	대종교
민필호	1898	서울	박달학원, 체신학교	대종교
여운형	1885	경기 양평	평양신학교, 난징 금릉대 영문과	기독교
선우혁	1882	평북 정주	숭실중학교, 금릉신학교	기독교
한흥교	1885	부산	세이소쿠학교	대종교
조소앙	1887	경기 양주	메이지대 법학과	
정인보	1892	서울	한학	대종교
이광	1879	충북 청주	와세다대 정경과, 베이징대 정경과	대종교
신건식	1889	충북 청원	저장성의약전문학교	대종교
민제호	1890	서울	경신학교, 한신영어학교	대종교
김갑	1889	부산		대종교
변영만	1889	경기	보성전문학교	
정원택	1890	충북 음성	박달학원	대종교

2·8거사

어린 아(兒)들이 독립운동을 한다고?

1919년 초, 일본 제국주의 심장부 도쿄에서 독립선언을 준비하는 유학생들은 예전의 '부잣집 도련님'들이 아니었다. 일본에서 여러 차례 유학 생활을 한 춘원 이광수는 1910년대 중반의 유학생들 가운데 세 부류가 있다고 말했다.

> "첫째는 세계 대세와 현대문명을 일부분은 이해하고 또 전부를 이해하려고 노력하는 사람, 둘째는 세계와 현대문명을 모르고 관리로 출세할 것만을 생각하는 사람, 셋째는 남이 유학하니 나도 유학한다고 하는 사람이었다."[이광수, 〈동경잡신(東京雜信)〉]

잃어버린 국권 회복을 부르짖으며 비분강개하는 도쿄 유학생은 소수였다는 애기다. 그런데 1917년부터 그런 기류가 확연히

달라져서 조국 독립에 대한 논의가 활발히 일기 시작했다. 이는 1917년 러시아에서의 사회주의 혁명, 1918년 제1차 세계대전 종결과 민족자결주의 바람 등 국제 정세가 심상치 않게 흘러가면서 일제 식민지였던 조선에도 실낱같은 희망이 보였기 때문이다.

국권을 잃어버린 지 근 10년, 일본 유학생들은 도쿄 거사의 중요성을 깊이 느끼고 있었다. 그러나 젊은 혈기만 가지고서는 적국 한복판에서 거사가 성공하리라고 보장할 수 없었다. 무엇보다 국내와의 연대가 필요했다.

이에 따라 유학생 대표들은 1919년 1월 중순, 와세다대생 송계백(2·8운동 후 체포돼 옥사)을 비밀리에 경성(서울)에 파견했다. 도쿄 유학생들의 독립선언 계획을 알려주어 국내의 독립운동을 촉구하는 한편으로 거사를 추진할 자금을 지원받기 위해서였다.

송계백은 비단 수건 위에 잔글씨로 쓴 독립선언서(이광수 작성) 초안을 사각모 안에 감추어 경성 북촌에 있는 중앙학교(중앙고등보통학교)에 찾아갔다. 보성학교 1년 선배이자 와세다대 선배인 현상윤(1950년 납북)이 중앙학교 교원으로 재직하고 있었기 때문이다.

당시 중앙학교는 일제의 조선 통치에 반발하는 '불령선인(불량한 조선 사람)'의 집결지였다. 배일(排日)사상을 가진 사람들이 학교를 들락날락했다.(현상윤, 〈3·1운동 발발의 개략〉) 또 학교를 세운

김성수와 교장 송진우, 그리고 교사 현상윤은 거의 날마다 학교 숙직실에 모여 세계가 개조되는 기운을 맞아 국내에서도 독립운동을 일으켜야 한다는 의견을 교환했다.(인촌기념회, 《인촌 김성수전》)

국내에서 일어난 이 같은 움직임에 대해 3·1운동의 민족대표 48인 가운데 한 명인 김도태는 "독립을 꿈꾸는 한국인치고 이러한 세계 정세에 관심을 두지 않는 이는 없었다"(〈동아일보〉 1946년 3월 5일자)라고 밝혔다.

바로 이즈음 도쿄의 유학생 후배가 비밀리에 독립선언서 초안을 들고서 현상윤을 찾아온 것이다. 현상윤은 독립선언서 초안을 보고는 깜짝 놀랐다. 그리고 즉시 송진우와 최남선에게 선언서를 내보였다.

현상윤은 이어 은사인 최린(보성학교 교장)을 찾아가 독립선언서를 보여주고, 그를 통해 당시 국내 최고 교세를 자랑하던 천도교 수장 손병희에게도 전달했다. 유학생들의 독립선언서를 받아본 손병희가 말했다.

"어린 아(兒)들이 저렇게 운동을 한다 하니 우리로서 어찌 앉아서 보기만 할 수 있느냐."(현상윤, 〈3·1운동 발발의 개략〉)

손병희는 그 이튿날로 천도교 최고간부회의를 열어 토의를 하고 천도교의 궐기를 결정했다. 도쿄 유학생들이 피워낸 독립선언의 불꽃이 국내에도 본격적으로 점화되는 순간이었다.

송계백은 2월 초, 국내 종교계가 단합해 거사를 치르기로 결정했다는 답을 듣고 기쁜 마음으로 도쿄로 귀환했다. 그의 손에는 도쿄 유학 선배인 정노식이 전답을 판 돈 3천 원(현상윤 증언)을 비롯해 송진우 등이 마련해준 거사 자금도 쥐여져 있었다. 이 돈은 이후 유학생들이 독립선언서 등을 제작, 인쇄, 배포하는 데 요긴하게 사용됐다.

한편 현상윤은 송계백이 일본으로 돌아가기 전 그를 보며 이렇게 당부했다.

"거사 날짜가 정해지면 쌀 거래를 하는 것처럼 암호로 꾸며서 연락해달라."(현상윤, 〈3·1운동 발발의 개략〉)

국내와 일본에서 이루어질 독립운동 연대를 위해 날짜를 서로 맞추기 위한 약속이었다. 이후 일본에 돌아간 송계백은 '2·8에 판다'는 암호를 국내로 보냈는데, 그건 바로 2월 8일 도쿄에서 거사를 한다는 뜻이었다.

운명의 그날, 2월 8일

1919년 2월 8일 오전 10시, 드디어 그날이 왔다. 도쿄 유학생 대표들은 도쿄 시내에 자리 잡은 각국 대사와 공사, 일본 각 대신, 귀족원과 중의원, 조선총독부, 그리고 국내외 신문잡지사 및 학교 앞으로 독립선언서와 결의문, 민족대회 소집 청원서를 우편으로 부쳤다.

그날은 아침부터 음산하리만큼 날씨가 흐렸다. 오후 2시 회합이 시작될 무렵부터는 날이 더 궂어졌다. 도쿄에서는 자주 볼 수 없던 눈이 펑펑 내리고 있었다. 학우회 결산 총회를 구실로 소집한 모임 역시 때맞추어 독립운동으로 변신하고 있었다.

어느 정도 낌새를 눈치챘는지 일본 경시청에서 보낸 경찰 40여 명이 조선기독교청년회관 주위에서 서성거렸다. 강당 안에도 사복 경찰이 섞여 있다는 것쯤은 공공연히 알려진 비밀이었다.

오후 3시, 강당은 일찌감치 200여 명의 학생들이 모여들어 앉을 자리가 없었다. 결행 시각이 되자 학우회 회장 백남규가 개회를 선언했다. 말이 끝나기 무섭게 앞에 앉아 있던 최팔용이 "회장! 긴급 동의요" 하면서 단상으로 올라가서는 조선청년독립단 발족을 공개적으로 선언했다. 여기저기서 "좋소" 하면서 만장일치의 박수가 터져 나왔다. 도쿄 독립선언서 발표의 대외적 공신

2 · 8독립선언서. (사진 제공: 독립기념관)

력과 정당성을 인정받기 위한 행위였다.

이어 최팔용은 백관수에게 독립선언서를 낭독하게 했다.

"……일본이 만일 우리 민족의 정당한 요구에 불응할진대, 우리 민족은 일본에 대하여 영원히 혈전(血戰)을 선언하노라."

독립선언서 구절을 읽는 백관수의 목소리가 떨렸다. 그 뒤를 이어 김도연이 결의문을 읽었다. 결의문 한 구절마다 학생들은 환성과 우레 같은 박수로 응답했다. 일부 학생들은 망국의 한이

1919년 2 · 8독립선언을 주도한 재일 유학생들. 가운데 줄 왼쪽부터 최팔용, 윤창석, 김철수, 백관수, 서춘, 김도연, 송계백이다.

북받쳐 대성통곡했다.

최팔용 등 유학생 대표들이 활판 인쇄된 독립선언서를 단상에 내걸고 실행 방법을 발표함으로써 독립선언서는 공식적으로 선포되었다. 유학생들은 미리 준비해둔 태극기를 서둘러 챙기고 도쿄 번화가로 나가 시가 행진에 들어가려 했다. '기습을 당한' 경시청 형사들은 그제야 정신을 차리고 부리나케 단상에 나타나 해산을 명령했다.

학생들은 발을 구르며 소리를 질렀다. 강단 안 접이용 의자를 집어 들어 경찰에게 던지며 육박전을 벌였다. 그러나 아무래도

역부족이었다. 사복 경찰들이 물밀 듯 들이닥쳐 학생들을 잡아서는 팔을 비틀어 질질 끌고 갔다. 상하이로 거사 진행을 알리기 위해 미리 떠난 이광수를 제외한 독립선언서 서명 위원 10명을 비롯해 30명가량이 체포됐다.

당시 상황을 보도한 일본 신문은 "조선인 600명이 간다(神田) 조선기독청년회관에서 눈이 오는 가운데 경관과 격투를 벌여 29명이 체포됐다"고 기록했다.〔〈시사신보(時事新報)〉, 1919년 2월 9일 자〕 유학생들이 치열하게 독립 만세 '전쟁'을 치렀음을 말해주는 증거다.

2·8독립선언서에 서명한 유학생들은 전원 기소되어 일본 법정에서 재판을 받았다. 검찰은 이들을 내란죄로 기소하려 했다. 그러나 이때 한국에서도 3·1운동 봉기가 시작되었고, 여론에 밀린 일제 재판부는 출판법 위반 등의 명목으로 금고형(7~9개월)을 선고했다. 2·8선언으로 희생을 치른 유학생들에게 국내 3·1운동이 국민적 지지로 호응한 셈이다.

도쿄 유학생들이 용의주도하게 계획한 독립선언운동은 성공했다. 유학생들이 가장 우려했던 사전 발각은 없었다. 2개월에 걸쳐 준비한 거사가 탄로 나지 않은 건 철저한 기밀 유지와 도쿄 유학생들의 뜨거운 독립 의지 덕분이었다. "당시 학비가 어려운 사람 중에는 돈 몇 푼에 팔려 스파이 노릇을 하고 지내는 사람도 많았다"(최승만, 《나의 회고록》)고 했지만 거사 당일까지 정보가 누설되지는 않았다.

도쿄 유학생들의 독립운동 시위는 아시아 최초였다. 윌슨의 민족자결주의가 동유럽과 아프리카, 동남아 등 식민지 피압박 민족의 독립운동을 자극했지만, 아시아에서 제일 먼저 독립의 봉화를 일으킨 것은 바로 재일 한국 청년 학생들이었다.(박경식, 〈일본에서의 3·1독립운동〉) 이들의 봉기는 국내는 물론 멀리 해외에까지 널리 알려졌다.

한편, 유학생들의 독립선언 활동을 끝까지 지켜본 동제사 요원 장덕수는 일본에서의 임무를 마치고 2월 17일 도쿄를 떠나 2차 목적지인 서울로 향했다. 그는 조선행 뱃길에 오르기 전에 요코하마에서 상하이의 동제사 요원이자 〈중화신보〉 기자인 조동우 앞으로 독립운동 자금 800원(엔)을 송금했다. 길을 오가는 도중에 일본 관헌에게 거액의 자금이 발각돼 거사 비밀까지 폭로될까봐 걱정했기 때문이다.(조선총독부 경상북도경찰부, 《고등경찰요사》)

장덕수는 실제로 2월 20일경 일본 경찰에게 발각돼 체포되었다. 면도를 하지 않아 꺼칠꺼칠하게 자란 콧수염에 일본인들이 입는 옷을 걸치고 있었으므로 누가 보아도 진배없는 일본인이었다. 하지만 서울에 도착해 이상재를 비롯한 사회지도층 인사와 청년 동지들을 만나 상하이와 도쿄의 사정을 전해주고 국내 상황

을 확인한 다음 인천으로 내려갔다가 일본 관헌에게 발각되고 말
았다. 장덕수가 사용한 '기무라 겐지'가 하필이면 살인 용의자로
수배령이 떨어진 일본인 이름과 같았기 때문이었다.(이경남,《설산
장덕수》)

2차 2·8독립선언을 외치다

한편 일본 왕실의 상징인 왕궁과 제국의회 의사당, 유학생들을
감시하던 일본 경시청과 검찰청이 지척에 있는 도쿄 히비야(日比
谷) 공원에서는 1차 시위로 붙잡혀간 이들의 뒤를 이어 2차 독립
만세 시위가 벌어졌다.

사실 유학생 대표들은 2·8독립선언 후 경찰에 끌려갈 것을 예
상하고 있었다. 거사 하루 전날인 2월 7일, 도쓰카초(戶塚町)의
한 자취방에서 유학생들이 모였을 때 백관수는 이렇게 말했다.
그곳은 2·8선언의 작전본부 역할을 한 곳이기도 했다.

"독립선언서에 서명한 사람들은 내일 다 붙들려 갈 것이고
언제 다시 나오게 되는지 모르는 일이니, 여러분들은 우리의
뒤를 이어 일을 잘해달라."(최승만,《나의 회고록》)

2차 2 · 8독립선언 거사 현장인 도쿄 히비야 공원.

1차 시위 후 재궐기를 주도할 2차 활동자까지 선정해두었다.
최원순, 정대호, 변희용, 강종섭, 최재우, 장인환, 최승만 등이 바
로 그들이었다. 이들은 2 · 8운동 사나흘 뒤 히비야 공원 광장에서
전유학생대회를 열었다.

유학생 100여 명이 모인 가운데 이달(1907~1942)을 학우회 후
임 회장으로 선출한 뒤, 일본의 무단(武斷)통치를 규탄하고 조선
독립을 요구하는 연설을 했다. 2월 12일 이 자리에 다시 모여 2차
로 조선 독립을 선포하는 선전문(조선 독립 촉진문)을 발표하려 했
으나, 사전에 발각돼 유학생 대표 12명이 히비야경찰서로 연행되

고 말았다.

이어 23일에도 대표들이 '조선청년독립단 민족대회촉진부 취지서'를 인쇄해 히비야 공원에서 배포하고 시위운동을 벌이려 했으나 도중에 일본 경찰에게 붙잡혔다.

이처럼 유학생들은 일본 왕실과 일본 통치기관 바로 앞에서 공개적으로 시위를 벌이고자 했다. 전 세계에 한국인들의 독립 의지를 알리기 위해선 체포를 각오해야 했다. 또한 일본 유학생들은 도쿄에서 시위를 하는 데만 만족하지 않았다. 일제의 감시로 도쿄에서 시위를 하기가 갈수록 어려워지던 차에 조국에서 3·1운동이 발발하자 국내 운동에 참가하기 위해 대거 귀국했다. 1919년 2월 8일 이후부터 5월 중순 사이에 일본에서 귀국한 한국인 491명 가운데 유학생만 359명이었을 정도다.〔〈조선인 개황·재일본 조선인 관계 자료 집성(朝鮮人槪況·在日本朝鮮人關係資料集成)〉〕

한편 도쿄에 남아 있던 유학생들은 1920년 3·1운동 1주년을 맞이해서 또다시 만세운동을 벌였다. 유학생 200여 명이 히비야 공원에서 만세 시위를 벌이다가 53명이 검거됐다. 그중 황신덕 등 여학생 7명도 있었다.(〈시사신보〉, 1920년 3월 2일자)

다시 펼쳐진 2·8독립선언

3·1운동 100주년을 기념하기 위해 시작한 동아일보 특별취재팀의 역사 추적 탐방은 2019년 2월, 일본 제국주의 심장부였던 일본 도쿄에서 시작됐다. 이 여정에는 독립운동가들의 후손들도 함께했다.

2019년 2월 8일 오전, 도쿄 지요다(千代田)구의 재일본한국 YMCA회관. 머리가 허옇게 센 노인부터 교복 차림의 앳된 학생들에 이르기까지 250여 명의 재일 한국인이 한자리에 모였다. 바다 건너 한국의 '손님'들도 참석했다. 국내 3·1운동의 불꽃을 지핀 도쿄 2·8독립선언의 주역인 김도연의 손자 김민희 씨, 한국인의 독립 선언과 의지를 세계만방에 알리기 위해 파리강화회의에 달려간 김규식의 손녀 김수옥 씨, 3·1운동과 함께 출범한 상하이 임시정부를 이끌던 김구의 손자 김휘 씨와 나창헌의 아들 나중화 씨(광복회 전 부회장), 일본군 수뇌부에 폭탄을 투척한 윤봉길의 손녀 윤주경 씨(전 독립기념관장), 대일 무력항쟁을 이끈 광복군 지대장 김학규의 아들 김일진 씨, 국내에서 독립운동을 적극 지원한 민족기업가 안희제의 손자 안경하 씨, 항일 민족 언론인 양기탁의 손자 양준영 씨 등이 바로 그들이었다. 좌석에 나란히 앉아 있는 애국지사 집안의 경력을 보자니 마치 일제 치하의 치열했던 독립운동사를 압축적으로 나열해놓은 듯했다.

행사는 1919년 바로 이날, 한국인 유학생들이 적국의 수도 한복판에서 일본 제국주의의 불법 점령을 거부하고 조선 독립을 선언한 것을 기념하는 자리였다.

기념식은 장엄하게 진행됐다. 애국가에 이어 아리랑이 울려 퍼지자 금세 애국지사 유족들의 눈시울이 붉어졌다. 이국의 땅에서, 그것도 한국인으로서는 감정이 특별할 수밖에 없는 일본 땅에서 우리 국가와 아리랑을 듣는 감회는 남달랐다. 상하이에서 독립운동을 한 부친 때문에 상하이에서 태어난 나중화 씨는 "일제하 지난한 세월을 보냈던 어른이 생각난다"고 말했다. 김수옥 씨는 "나와 같은 독립운동가 후손들은 어떻게 살고 있는지 무척 궁금했는데, 이렇게 한자리에 모여 노래를 들으니 가슴이 벅찬다"고 했다. 다른 유가족들도 서로 강한 유대감을 느끼는 듯했다.

기념식을 치른 재일본한국YMCA회관 앞에는 태극기와 함께 '朝鮮獨立宣言記念碑(조선 독립선언 기념비), 1919 2·8'이라는 글귀가 새겨진 비석이 놓여 있었다. 그러나 이곳은 당시 유학생들이 독립선언서를 낭독한 자리가 아니다. 원래 터는 옛 주소로 '도쿄 간다구 니시오가와(西小川)초 2-5'의 조선기독교청년회관이다. 1923년 간토(關東)대지진 때 불타버리는 바람에 현재의 자리로 이전한 것이다.

우리는 2·8독립선언 기념식을 참관하고 나서 도보로 원래 터를 찾아가보기로 했다. YMCA회관 내 '2·8독립선언 기념자료실'의 다즈케 가즈히사(田附和久) 실장은 "옆으로는 정면에 센슈(專修)대가, 오른쪽에 강이 있었다"라는 당시 증언과 관련 사진, 지도 등을 토대로 현재의 회관에서 서남쪽으로 700미터 남짓 떨어진 지점 '니시간다(西神田) 3초메 3번지 골목'을 지목했다.

1907년 당시의 지번이 새겨진 고지도와 현대 지도를 들고 거리로 나섰다. 10분 거리밖에 안 되는 이곳을 찾기 위해 30분간 헤맸다. 다이요빌딩과 니시간다YS빌딩 등 중소 규모 빌딩이 자리 잡은 곳이었다. 다즈케 실장은 그 일대가 조선기독교청년회관이 있었던 곳은 분명하지만 도로가 개설되는 등 지형이 워낙 변해 정확한 위치를 콕 집어 찾아내기는 어려운 상태라고 했다.

도쿄 2·8독립선언의 역사적 현장인 옛 조선기독교청년회관. 1923년 간토대지진 때 불탔다.

붙탄 도쿄 조선기독청년회관 터에 모인 YMCA 청년들. (사진 제공: 재일한국YMCA회관)

　이 일대를 바라보면서 깊은 감회에 사로잡혔다. 바로 이곳에서 재일 유학생 600여 명이 "2천만 조선민족을 대표하여 정의와 자유의 승리를 득(得)한 세계 만국의 전(前)에 독립을 기성(期成, 꼭 이루기를 기약)하기를 선언하노라" 하며 독립선언서를 선포했다. 그러고선 일본 형사들에게 흠씬 두들겨 맞으며 질질 끌려갔다.

　그러나 지금의 모습만 봐서는 그때의 장면을 상상하기가 어렵다. 245제곱미터(약 74평) 규모의 서양식 2층 목조건물이었던 조선기독교청년회관은 온데간데없다. 불과 100년도 안 되는 사이, 역사의 현장은 현대식 건물로 완벽하게 탈바꿈해버렸다.

고뇌

실의에 빠진 조소앙과 신규식의 밀지

장덕수가 상하이에서 도쿄에 잠입하라는 밀지를 받았던 무렵, 중국 만주의 펑톈(奉天)에서 활동 중인 동제사 요원 정원택(1890~1971)에게도 비슷한 밀지가 전해졌다. 1919년 1월 21일, 박달학원 출신인 정원택은 비밀 서류를 챙겨 들고 공원 으슥한 곳으로 가서 개봉했다.

방금 구주전란(歐洲戰亂, 제1차 세계대전)이 종식되고 미 대통령 윌슨이 민족자결을 제창하며 파리에 평화회(파리강화회의)를 개최하니 약소민족이 궐기할 시기다. 상해에 주유(住留)하는 동지들이 미주의 동지와 국내 유지(有志)에게 연락하여 독립 운동을 적극 추진하며, 일면으로 파리에 특사를 발송 중이라. 서간도(西間島, 압록강 북쪽 지역의 조선족자치주 지역)와 북간도 (北間島, 두만강 북쪽 지역의 조선족자치주 지역)에 기밀(機密)을 연락지 못하였으니 군(정원택)이 길림에 빨리 가 남파(南坡, 박찬익)와 상의해 서·북간도 동지에게 연락하고, 각 방면으로 주선하여 대기 응변(應變)하기를 갈망하노니, 만일 길림(지린)에 가지 못할 경우이면 적당한 인사를 택해 대행케 하든지, 그도 못하는 때엔 이 서류를 소각하고 사정을 회시(回示)하라. (정원택, 《지산외유일지》)

'선생님'으로 모시는 동제사 수장 신규식의 밀지를 읽은 펑톈의 청년 요원은 껑충껑충 뛸 듯이 기뻐했다. 상하이로 망명해 유학하던 시절, 신규식의 지원을 받은 정원택은 그 은혜를 갚기 위해 독립운동에 헌신하던 중이었다. 정원택은 생계를 위해 하던 일을 모조리 정리한 뒤, 그해 1월 24일 지린으로 길을 재촉했다.

동제사의 교육기관 박달학원 출신인 정원택은 만주 지역 지린을 중심으로 조직적인 독립운동을 반드시 성공시켜야 하는 숙제를 맡았다. 그래야 파리강화회의에 파견한 김규식 등 한국 대표에게 힘을 실어줄 수 있기 때문이었다.

정원택은 지린성 내 한 중국 객잔(客棧)에서 선배 동지 박찬익(1884~1949)을 만났다. 정원택은 신규식의 밀지를 박찬익에게 보여주며 미주, 상하이, 일본, 국내 등 각 지역에서의 기밀(機密) 독립선언 활동을 언급했다.

까만색 선글라스에 양쪽 끝이 굽어 올라간 카이저수염을 한 상하이의 '멋쟁이 형님' 신규식의 밀지를 받아 본 박찬익은 감회가 남달랐다. 박찬익은 1910년 한일강제병탄 전 고국의 관립공업전습소에서 신규식과 만나 결의형제(結義兄弟)를 한 사이였다. 1909년 대한제국의 공업 발전을 고취하려는 목적으로 창간한 잡지 〈공업계〉의 사장 겸 편집인이 신규식이었고, 발행인이 박찬익이었다.

박찬익은 '형님' 신규식이 동제사를 설립했을 때 기꺼이 동제사 요원이 됐다. 이후 동제사의 국내 조직 설립, 독립운동 자금 조달을 맡아 맹활약했다. 비록 실패로 돌아가긴 했지만 당시 국내의 거물급 인사인 박영효의 중국 망명 권유를 담당했던 주인공이기도 하다.(남파박찬익전기간행위원회,《남파 박찬익 전기》)

정원택과 박찬익은 신규식의 밀명을 따라 서간도와 북간도의 독립운동가들을 규합해 조직적인 독립운동을 펼치기로 했다.

우선 정원택은 우편국의 우편상(郵便箱, 우편함)을 이용한 암호로 조소앙(조용은, 1887~1958)과 연락을 취했다. 동제사 요원들만 알아볼 수 있는 한글식 암호를 엽서에 기재한 뒤 통신 주소로 발송하는 방법이었다.(정원택,《지산외유일지》)

갈등하는 사상가

1월 26일, 정원택은 지린성 동문(東門) 밖 외딴곳에 있는 도관 (道館)에서 조소앙을 만났다. 도관을 거처로 삼고 있는 것을 보니 과연 '소앙다웠다'. 유달리 큰 머리가 돋보이는 조소앙은 메이지대 법학과 졸업생답지 않게 종교가 혹은 사상가적 면모가 물씬 풍겼다. 춘원 이광수는 1913년 상하이에서 조소앙과 함께 지내던 시절을 회고하면서 이렇게 묘사했다.

"그는 침대 위에 가만히 앉아서 코란을 읽거나 그렇지 아니하면 눈을 반쯤 감고 몸을 좌우로 흔들흔들하고 있었다."(이광수, 《나의 고백》)

그 당시 조소앙은 동제사가 운영하는 박달학원 교사로 활동하면서, 틈만 나면 이슬람교 등 세계 종교와 철학을 연구하거나 명상을 즐기곤 했다. 1914년에는 독립운동 차원에서 단군을 필두로 동서양의 여섯 현자를 모시는 육성교(六聖敎)라는 독자 종교를 구상하고, '일신교령(一神敎令)'이라는 경문까지 작성했다. 그러니 조소앙이 도교 도사들이 거주하는 도관에 머물고 있다 해도 그리 이상해 보이지는 않았다.

대한민국 임시정부 출범 후 광복군 모집 요원들과 함께 촬영한 기념사진. 박찬익(앞줄 왼쪽)과 조소앙(뒷줄 왼쪽에서 두 번째)의 얼굴이 보인다.

지린의 날씨는 아직도 한겨울이었다. 두 사람은 조소앙의 부인 (최형록)이 내온 인삼차를 달게 마셨다. 최형록은 동제사 교육기관인 박달학원 출신으로 1918년 4월 상하이에서 조소앙과 결혼하면서 본격적으로 독립운동계에 투신한 여성 독립운동가(1996년 건국훈장 애족장 추서)이기도 했다. 차 한 잔을 마신 뒤 정원택이 그간의 상황과 앞으로의 할 일을 말했다.

"지금 예관 선생(신규식)의 통신(通信) 지시로 다소(多少) 서류를 휴대하고 만주의 동지를 규합하고 노령(露領)에 기밀을 상응코자 하니 남파(박찬익)와 소앙이 할 중책이오."

정원택이 하루가 급하다며 속히 활동하기를 재촉했다. 그러나 동제사 요원 조소앙이 내놓은 반응은 정원택의 예상과는 한참이나 달랐다.

"내 서간도로부터 여기 올 때 결의한 바가 있었소. 앞으로는 도관에 잠적하여 세상사에 간섭하지 않으며 사람과 논쟁하지 않고, 다만 홀로 수양하기를 결심하였으니 나를 내버려두시오. 내가 지린에 온 지 수개월이 되었어도 알고 모르고 간에 동지 한 사람도 심방한 일이 없으니 스스로 부끄럽기도 하나 널리 용서해주기 바라오."

조소앙이 담담하게 말했다. 뜻밖의 말에 정원택은 충격을 받았다. 일찍부터 신규식과 함께 줄기차게 독립운동을 해온 조소앙이 아닌가. 그의 형인 조용하는 1905년 을사늑약이 체결되자 중국으로 망명한 뒤 만주와 미국 등지에서 독립운동을 펼치고 있었고, 동생 조용주 역시 형(조소앙)을 따라 망명한 뒤 독립운동가로 활동하고 있었다. 그런 그가 이제는 조용히 수양이나 하면서 은둔하겠다고 말한 것이다.

사실 조소앙은 마음속으로 큰 고뇌에 빠져 있었다. 당시의 기록을 보면 조소앙의 심정이 여실히 드러난다.

"제1차 세계대전이 종막을 거두어갈 무렵, 재외 한인사회는 단결의 희망이 털끝만큼도 없었으며, 국내의 대중 또한 고요하게 아무런 소리도 내지 않았다. 마음이 매우 초조하여 동북 지역 한인들을 규합할 결심을 하고 단신으로 그곳으로 갔다. 당시 한인 교포사회의 거물들은 제각기 영웅으로 자처하면서 할거하고 있었기 때문에 통일의 희망이 없어서 실패로 끝나고 말았다. 이에 지린성에서 칩거하면서 독서를 했다." [조소앙, 〈자전(自傳)〉]

국내에서 3·1운동의 불꽃이 일기 전, 조소앙은 같은 피를 나눈 민족끼리 단결하지 못하는 것에 대해 거의 절망감을 느끼고 있었던 것이다.

독립선언서의 원조, 대동단결선언

조소앙으로서는 그럴 만도 했다. 자신의 정치적 신념이 담긴 '대동단결의 선언'(대동단결선언)이 숱한 노력에도 불구하고 공허한 메아리로 되돌아왔기 때문이다.

1917년 7월, 조소앙은 상하이에서 동지들과 함께 '대동단결선언'을 작성해 국내외 여러 독립운동단체에 배포했다. 독립운동에는 무엇보다도 대동단결이 필요하다는 취지 아래 국내외 대표회의를 소집하여 '무상법인(無上法人)'이라는 기구, 즉 정부를 조직하자는 선언서였다.

선언서에는 동제사의 주요 요인들이 발기인으로 등재됐다. 동제사 수장 신규식을 필두로 조소앙, 신석우, 박용만, 박은식, 신채호, 조성환, 김규식, 윤세복 등 14명이었다. 내로라하는 독립운동가들의 이름이 명기된 선언서인 만큼 무게감도 작지 않았다.

특히 조소앙이 기초를 만든 대동단결선언은 매우 충격적인 내용을 담고 있었다. (대한제국) 황제의 주권이 국민에게 선양되었음을 공개적, 공식적으로 선언했으며, 조국의 독립 이후 건국할 국체(國體)는 왕정복고가 아니라 국민주권 국가임을 명백히 밝혔다.

융희황제가 삼보(三寶, 토지·인민·정치)를 포기한 경술년(1910년) 8월 29일은 즉 우리 동지가 이를 계승한 8월 29일이니, 그동안에 한순간도 숨을 멈춘 적이 없음이라. 우리 동지는 완전한 상속자니 저 황제권 소멸의 때가 즉 민권 발생의 때요, 구한국의 마지막 날은 즉 신한국의 최초의 날이니, 무슨 까닭인가. 우리 대한은 무시(無始) 이래로 한인의 한이요 비(非)한인의 한이 아니니라. 한인 사이의 주권을 주고받는 것은 역사상 불문법의 국헌이오, 비한인에게 주권 양여는 근본적 무효요, 한국의 국민성이 절대 불허하는 바이라.

이는 당시 침체돼 있던 독립운동의 목표와 방향을 확실하게 제시하는 '혁명적' 선언이기도 했다. 사실 대동단결선언이 발표되던 시점은 국내외 독립운동이 최악의 국면에 처해 있던 때였다.

1911년 일제는 무단통치의 일환으로 데라우치 마사타케 조선총독 암살미수 사건을 조작해 안창호, 이동녕, 이승훈 등이 조직한 신민회 간부 등을 대거 체포했다. 이것이 바로 서북 지방의 항일 민족조직인 신민회가 완전히 해체되는 '105인 사건'이다. 이 사건이 발생하면서 이승만은 미국으로, 김규식은 중국으로 망명하는 등 국내에 거점을 두었던 독립운동가들이 해외로 빠져나갔다. 이어 국내 의병조직인 독립의군부(1912~1914)와 대한광복회(1915~1918)마저 잇따라 발각돼 의병운동도 와해됐다.

국외 사정도 녹록지 않았다. 1915년 이상설과 신규식 등이 중국에서 신한혁명당을 설립해 광무황제(고종)를 옹립하는 망명정부를 세우려고 했지만 이 역시 발각돼 수포로 돌아갔다. 그즈음

독립기념관에 세워진 조소앙의 '삼균주의' 어록비.

에 대한제국 황제를 중심으로 한 독립운동 방략인 보황주의(保皇主義) 노선을 완전히 종결하는 선언이 발표된 것이다.

대동단결선언을 기초한 조소앙은 토지와 인민과 정치를 가리키는 삼보의 의무 및 권리가 국민에게 있는 이상 이를 행사하는 주체가 필요하다고 판단했다. 국내 동포는 현재 일제에 구속돼 있으니 그 책임을 해외 동지가 감당해야 한다면서, 이를 위해 해외 각 지역 민족대표들이 회의를 열어 유일 최고기관을 수립하자고 제안했다.(조동걸, 〈임시정부 수립을 위한 1917년의 대동단결선언〉)

이 선언은 훗날 3·1운동의 독립선언서와 대한민국 임시정부 수립의 기초가 됐다. 동제사 이사장 신규식과 총재 박은식이 3·1운동 이듬해인 1920년에 발행한 주간지 〈진단(震壇)〉 창간호에서 대동단결선언을 '제1차 상해선포(上海宣布)'라고 명명하며 최초의 독립선언서로 규정한 이유이기도 하다.

그런데 1917년 정작 선언서가 발표된 당시의 호응은 신통치 않았다. 선언서는 〈신한민보〉(북미주), 〈국민보〉(하와이), 〈한인신보〉(블라디보스토크), 〈청구신보〉(우수리스크) 등을 통해 널리 알려졌을 테지만, 이에 호응해오는 단체는 거의 없었다. 조소앙은 적잖이 실망했다. 그래서 조소앙은 1918년 중국 동북 지역으로 가서 한인 교포사회를 기반으로 독립운동단체 통일을 도모하려 했다. 그러나 이마저 실패하고 말았다. 그의 표현대로 각자 영웅으로 할

大同團結宣言

夫合則立分則倒난天道의原理오分久欲合은人情의律呂라撫念하건
대久로난三百年儒者의黨論이李朝誠亡史의太半을占하엿고近에
至하야난十三道志士의壃閣이新建設의中心을攪亂하난도다如斯한
三分五裂의悲劇을目睹하고分門立戶의苦痛을備嘗한吾人은情律에
依하야 大合同을要求함이自然의義務오恆道理에擴하야團結을主
張함이當然의權利로다 非但吾人의士論이如是라一般同胞의聲이오
時代의命이니 滿天下傷心志士에誰가獨히同感치안으리오
그러나總團結의問題난由來ㅣ久矣라問하매耳ㅣ眩하고言하매齒ㅣ
酸하도다人皆曰合同하야도及其實行에關하야난或力不及에罪
를嫁하며或地不便에責을歸하며或戒競爭無害로問를轉하야야左托右憑

一

七右實行方法은旣成한各團體의代表와德望이有한個人의會議로決
定할것

檀帝紀元四千二百五十年七月　日

申檉　趙鏞殷　申獻民
朴容萬　韓震　洪熺
朴殷植　申采浩　尹世復
曹煜　朴基駿　申斌
金成　李逸

十一

신정(신규식)과 조용은(조소앙) 등 독립운동가 14명이 발기인으로 등재한 대동단결선언서. (사진 제공: 독립기념관)

거한 단체들이 하나도 호응해오지 않았던 것이다. 이는 동제사 요원 박찬익도 느끼고 있던 점이었다.

"독립운동에서 무력을 갖춘 군사 활동이 중요하다고 하여 저마다 무장 단체를 만들었다. 몇 사람의 부하를 가진 사람도 제가 독립군 대장이고, 1백 명, 1천 명을 가진 사람도 저마다 독립군 대장이라고 뽐내는 지경이었다. 같은 길을 가면서도 저마다 이론을 내세우면서 하나가 되기를 꺼려하고 있었다." (남파박찬익전기간행위원회, 《남파 박찬익 전기》)

다시 대호(大呼)할 기회가 오다

정원택은 정신 수양이나 하며 살겠다는 조소앙을 설득했다.

"나나 선생(조소앙)이나 그 밖의 여러 동지들이 국치(國恥) 후에 부모와 처자를 버리고 만리절역(萬里絶域)에서 풍찬노숙(風餐露宿)하며 간난신고(艱難辛苦)를 달게 받고 있음은 모두 뜻이 있으면 마침내 이루어진다는 말에 따라 시기를 기대한 것이 아니었소. 이제 서방의 전우(戰雨)가 처음 개고 파리에서 평화가 열리게 되어 약소민족이 자결을 고창(高唱)하니, 일은 비록 미비하나 때는 왔소. 일의 성패를 계산하지 말고 한 번 궐기하여 대호(大呼)할 기회라. 이 기회를 놓치고 어느 때를 기다리리까. 잠적 수도는 늦어서도 늦지 않소."(정원택, 《지산외유일지》)

간절한 마음 탓이었을까. 마침내 조소앙의 마음이 움직였다. 정원택과 조소앙은 박찬익이 머물고 있는 객잔에서 함께 만난 뒤 지린성 북문 바깥에 있는 여준(1862~1932)의 집에서 활동 방침을 토의했다.

1919년 2월 말, 신흥무관학교 교장 출신인 여준의 집으로 서간도와 북간도 등지에서 활동하던 독립운동가들이 비밀리에 모여들었다. 소문을 듣고 거사 자금을 쾌척하러 온 이들도 있었다. 평양 출신의 김모(金某)가 만주의 황무지 개간 사업차 지린에 왔다가 자금 중 6천 원을 제공했다. 또 충남 사람 정명선이 1천 원을 독립운동에 쓰라고 내놓았다.

드디어 2월 27일 여준의 집에서 본격적으로 독립운동을 펼치기 위한 대한독립의군부가 조직됐다. 나이가 가장 많은 여준이 총재로 추대되고, 총무 겸 외무에 박찬익, 재무에 황상규, 군무에 김좌진, 서무에 정원택, 선전 겸 연락에 정운해 등이 뽑혔다. 상

하이에 파견할 지린 대표로는 조소앙이 선정됐다.(정원택,《지산외
유일지》)

이렇게 설립된 대한독립의군부는 대일 무력투쟁 노선을 선택
했으며, 또한 대한독립의군부 주도로 대한독립선언서를 작성하
기로 했다. 도쿄의 2·8독립선언과는 달리 무력 사용을 독립운동
의 전면에 내세운 것이다. 세칭 '무오독립선언서'로 알려진 선언
서는 이렇게 탄생하게 된다.

제3장 〈고뇌〉 관련 주요 인물

이름	생년	출신지	주요 활동
조소앙	1887	경기 파주	1917년 대동단결선언과 1919년 대한독립선언서를 기초. 대한민국 임시정부 외교부장. 삼균주의 주창.
박찬익	1884	경기 파주	대한독립선언서(무오독립선언서)에 서명한 39인 중 일원. 1940년 10월 대한민국 임시정부 법무부장. 한국광복군 창설 주도.
정원택	1890	충북 음성	1912년 동제사 요원으로 활약. 1919년 대한독립의군부에 참여해 독립선언서 제작 및 배포. 임시정부 의정원 의원.

결기

항일 무력투쟁의 불을 지피다

1919년 2월 27일, 중국 만주 지역 독립운동가들이 지린에 있는 여준의 집에 모여 결성한 대한독립의군부는 '군부(軍府)'라는 명칭에서 알 수 있듯이 독립을 위해 무력을 행사하는 결사대였다.

대한독립의군부는 파리강화회의 등 급박하게 돌아가는 세계 정세에 대응하기 위해 급조한 성격이 짙었다. 그러나 그 위상은 만만찮았다. 만주 독립운동의 주축 세력이 모처럼 힘을 합쳤기 때문이다. 대한독립의군부를 대표하는 정령(正領, 총재) 여준은 독립군 양성소인 신흥무관학교 교장 출신으로 서간도 일대에서 명망을 얻고 있는 선각자였다. 군무(軍務)를 책임진 김좌진 (1889~1930)은 무장 독립운동단체인 광복회의 부사령(만주 지역 책임자)으로 활동하는 열혈 투사였다. 이듬해인 1920년 청산리 전투로 명성을 떨친 김좌진은 이때 군무를 맡아 무력 투쟁에 필요한 마필과 무기 구입을 책임졌다. 게다가 비밀독립단 동제사의 요원인 조소앙, 박찬익, 정원택 등도 합세했다. 그만큼 결속력과 실천력이 강했다.

대한독립의군부는 즉시 만주 지역 한국인들의 독립 의지를 전세계에 알리는 독립선언서를 작성키로 했다. 대동단결선언의 주역인 조소앙이 선언서 작성의 기초(起草)를 하고, 정원택은 선언서 인쇄 및 발송을 맡기로 했다.(정원택,《지산외유일지》)

그리고 마침내 대한독립선언서가 완성됐다. '단군기원 4252년 (1919년) 2월 일' 날짜가 명기되고, 모두 39인의 서명이 기재된 선언서였다. 세칭 '무오독립선언서'로 알려진 이 선언서는 일본을 사기강박(詐欺强拍), 불법무도(不法無道), 무력폭행(武力暴行)을 일삼는 '악마적' 존재로 규정했다.

슬프도다, 일본의 무뢰배여. 임진왜란 이래로 반도에 쌓은 악은 만세에 가리어 숨기지 못할지며, 갑오(甲午, 1894년) 이후 대륙에서 지은 죄는 만국이 용납하지 못할지라. 전쟁을 좋아하는 저들의 악습은 자보(自保)니 자위(自衛)니 하는 구실을 만들더니 마침내 하늘에 반하고 인도에 거스르는 보호합병을 멋대로 하고, …… 군경의 무단과 이주민의 암계(暗計)로 한족(韓族)을 멸하고 일인(日人)을 증식하려는 간흉을 실행한지라.

선언서는 강렬한 문구로 일본을 비난했다. 또 일본은 절대 함께하지 못할 동아시아의 적이자, 세계문화의 발전을 저지한 인류 공동의 적이라고 하면서 2천만 동포의 총궐기를 촉구했다.

> 동양의 평화를 보장하고 인류의 평등을 실시하기 위한 자립 임을 명심하여, 황천(皇天, 하늘)의 명령을 받들어 일체의 사악한 굴레에서 해탈하는 건국임을 확신하여 육탄혈전(肉彈血戰)으로 독립을 완성할지어다!

대한독립선언서는 '육탄혈전'을 독립 쟁취의 방향으로 제시했다. 국내 3·1독립선언서가 평화주의를 주창한 것과 달리 만주의 대한독립선언서는 처음부터 무력을 행사하는 독립운동을 내세웠다. 실제로 대한독립선언의 육탄혈전주의는 그로부터 1년 후인 1920년 만주 독립운동의 쾌거인 봉오동 전투와 청산리 전투로 이어진다.

만주와 도쿄의 교감

일가(一家)를 희생하여 독립전쟁을 치르자는 대한독립선언서

天下의公道로進行하지니此는我獨立의本領이오同權同富로一

切同胞에施하야男女貧富를齊하며等賢等智로老幼에珀하야四海人類를度하지니此는我立國의旗幟오進하야國

際不義를監督하고宇宙의真善美를體現할지니此는我韓民族이應時復活의究竟義며 咨我同心同德인二千萬兄弟姉

妹아我

檀君大皇祖께서上帝에左右하사우리의機運을命하시며世界와時代가우리의福利를助하는도다正義는無敵의劍이니此로써逆天

의魔와盜國의賊을一手屠決하라此로써五千年祖宗의榮輝를顯揚할지며此로써二千萬赤子의運命을開拓할지니起하라獨立軍아齊

하라獨立軍아天地로網한一死는人의可逃치못할바인즉大我에一生을誰가苟圖하리오殺身成仁하면二千萬同胞와同體로復活하

리라一身을何惜이며傾家復國하면三千里沃土가自家의所有이니一家를犧牲하라 咨我同心同德인二千萬兄弟姉妹國民本領을

自覺한獨立인줄을記憶할지며東洋平和를保障하고人類平等을實施키爲한自立인즉同心同德인二千萬兄弟姉妹國民本領을祗奉하야

一切邪網에서解脫하는建國인줄을確信하야肉彈血戰으로獨立을完成할지어다

檀君紀元四千二百五十二年二月 日

가나다順

金教獻　呂準　李相龍　朴容萬　任瑒
金奎植　柳東說　李世永　朴殷植　尹世復
金東三　李光　李承晚　曹煜
金躍淵　李大爲　孫一民　崔師學
金佐鎮　李東寧　李鐘倬　申檉　韓興
金學萬　李東輝　申采浩　許爀
鄭在寬　李沰　文昌範　安定根　黃尙奎
趙鏞殷　李範允　李奉雨　朴性泰　安昌浩

1919년 조소앙이 쓴 대한독립선언서.

大韓獨立宣言書

我大韓同族男妹와 暨我遍球友邦同胞아 我大韓은完全한自主獨立과 神聖한平等福利로 我子孫黎民에世々 相傳키為하야

玆에 異族專制의虐壓을解脫하고 大韓民主의自立을宣布하노라

我大韓은無始以來로 我大韓의韓이오 異族의韓이안이라 半萬年史의內治外交는 韓王韓帝의固有權이오 百萬方里의高山麗水七

韓男韓女의共有産이오 氣骨文言이 歐亞에拔粹한我民族은 能히自國을擁護하며 萬邦을和協하야世界에 共進할天民이라 韓一

部의權이라도 異族에讓할義가無하고 韓一天의土라도 異族이占할權이無하며 韓一個의民이라도 異族이干涉할條件이無하니 我韓은

完全한韓人의韓이라

噫라日本의武孽이여 壬辰以來로半島에積惡은萬世에可掩치못할지며 甲午以後의大陸에作罪는萬國에能容치못할지라 彼가嗜戰

의惡習이 自保自衛의口를藉하더니 終乃反天逆人의保護合倂을逞하고 彼의妖妄한政客은 詐欺宗教를遷達은日領土日門戶日機會라명限하야文

化의流通을杜絶하고 人權을剝削함이 經濟의壓迫이猶甚커니와 軍警의武斷과 移民의暗計로 韓族을磨滅함이 積福濟惡을

韓族을磨滅함이 幾何오 五年武學의作亂이 此에極하니 此는 天이厭하신바이며 人에怒하신바이며 大韓獨立을

宣布하고 間時이役의合邦하든 罪惡을宣布懲辦하노니 一日本의合邦手段은 詐欺强迫과 不法無道와 武力暴行이極備하얏으니 此는 國際法規의惡魔이며

二日本의合邦結果는 軍警의彈權과 經濟의壓迫으로 種族을磨滅하며 宗敎를强迫하며 敎育을制限하야 世界文化를沮障하얏으니 此는 人類의敵이라

所以로 天意人道와 正義法理에 照하야 萬國立證으로 合邦無效를宣播하며 彼의罪惡을懲膺하며 我의權利를四復하노라

噫라天意의武孽이여 福으로自新하라 大陸으로 大陸을復할지어다 各其原狀을 四復함은 彼의福利오 我의權利를四復하노라

洲의東인同時에 有主體인 我類에賦與한 平等과 和는 白日이當空하야 普遍은實로瞳혀의元이 一이는 專制와强權은 餘孽이 盡하고 人類에賦與한平等과平和는 白日이當空하니 復舊하는 時代가來하얏도다

의 혈전주의(血戰主義)는 도쿄의 2·8독립선언서에도 이미 나타났다. 도쿄 유학생들은 "일본이 만일 우리 민족의 정당한 요구에 불응할진대, 우리 민족은 일본에 대하여 영원히 혈전하겠노라"고 선포했다. '혈전'이라는 용어 사용으로 보건대 두 선언서의 작성 과정에 일정한 교감이 있었던 것으로 추정된다.

이와 관련해《지산외유일지》의 저자이자 조소앙의 선언서 작업에 참여했던 정원택의 증언이 눈길을 끈다. 정원택은 "대한독립선언서 말미에 '육탄혈전으로 독립을 완성하자'는 문구는 조소앙의 동생 조용주(1889~1937)에 의해 첨가된 것"이라고 증언했다.(김용국,〈지산외유일기 해제〉)

조소앙보다 두 살 아래인 조용주는 형을 따라 일찌감치 상하이로 망명해 항일투쟁을 한 독립운동가다. 조용주는 형이 1917년 대동단결선언을 기초할 때도, 형이 1919년 상하이 임시정부에서 활동할 때도 그림자처럼 보필했다. 그런 조용주가 대한독립선언서에 '혈전'이라는 용어를 강조한 것이다. 이는 조용주가 도쿄의 2·8독립선언서를 인지하고 있었음을 암시한다. 동제사의 밀명으로 도쿄의 독립선언 운동을 지원하기 위해 파견된 '조용운'의 실체가 조용주(혹은 또 다른 동생인 조용원)였을 것으로 추정할 수 있는 단서이기도 하다. 당시 일제는 조용운을 조소앙(본명 조용은)으로 파악하고 있었다.(조선총독부 경상북도경찰부,《고등경찰요사》)

대한독립선언서를 배포하는 데도 도쿄와의 접촉이 있었다. 정원택은 1919년 3월 11일 선언서를 석판(石版)으로 4천 부 인쇄한 뒤 일본, 미국, 러시아 등 해외 각지로 배포했다.(정원택,《지산외유일지》) 그런데 이 움직임이 일제의 감시망에도 포착됐다.

> 미령(美領, 미국령) 및 노지령(露地領, 러시아령)의 선인(鮮人, 한국인)을 통해 이승만 이하 39명의 서명으로 발표한 대한독립선언서가 최근 노령에서 간도로 송부돼 와 각지에 배부 중. 본 선언서는 조선 내지(內地) 및 도쿄 방면에도 송부된 형적이 있어 수배 중. (일본외교사료관, '조선경무총장이 척식국장관에게 보낸 친전', 1919년 4월 19일자)

도쿄에서의 대한독립선언서 배포가 사실이었음을 밝혀주는 일제 기록이다. 일제의 심장부 도쿄에 만주의 대한독립선언서가 나돌았다는 사실은 2·8독립선언서를 낭독한 한국 유학생들과의 연계를 생각해볼 수 있는 또 다른 근거가 된다.(이숙화,〈대종교의 민족운동 연구〉)

대한독립선언서에는 지린, 상하이, 서간도와 북간도, 미주, 노령 등 국외의 지도자급 운동가들 39명이 서명했다. 이 중 민족종교인 대종교 지도자들과 기독교 지도자들이 주도적으로 참여했다는 점도 특징이다.

대한독립선언서 작성을 실제적으로 주도한 독립의군부의 중심 인물인 여준, 박찬익, 김좌진, 황상규, 정원택 등이 모두 대종교 교인들이었다. 이승만, 김약연, 이동휘, 이동녕, 정재관, 박용만, 안창호, 이대위 등은 기독교 지도자들로서 이 선언서에 참가했다. 조국 독립이라는 대의명분을 위해 기독교와 대종교가 무경계적 합심(合心)을 한 셈이다.

제4장 〈결기〉 관련 주요 인물

이름	생년	출신지	주요 활동
여준	1862	경기 용인	1906년 북간도 룽징에서 이상설(헤이그 특사) 등과 함께 서전서숙(瑞甸書塾) 학교 운영. 1913년 신흥무관학교 교장, 1915년 부민단 교육회장 등을 역임.
김좌진	1889	충남 홍성	1910년 대한광복회 요원으로 군자금 모집 활약. 1919년 대한군정서 사령관으로 독립군 양성. 1920년 10월 청산리 전투에서 일본군을 상대로 대승을 거둠.
나철	1863	전남 보성	1910년 민족종교 대종교를 창교해 독립운동에 투신. 1916년 황해도 구월산 삼성사에서 순교.

북만주에 펼쳐진 3·1운동

앞서 정원택의 일기를 토대로 살펴본 대한독립선언서의 탄생 비화는 긴박한 당시 상황을 그대로 담고 있다. 이 일기가 1910년 대 독립운동가들의 활동과 시대 상황을 생동감 있게 표현한 희귀 자료로 평가받는 주요 이유이기도 하다.

그런데 결정적 문제가 있다. 일기에 적어놓은 대한독립선언서 의 작성 날짜가 정작 선언서를 기초한 조소앙의 증언과는 다르다 는 점이다. 정원택의 일기를 따르자면 대한독립의군부는 1919년 2월 말에 조직됐고, 선언서는 3월에 들어서 완성 및 반포된 셈이 다. 반면 조소앙은 이렇게 기억했다.

1919년 1월에 이르러 여준, 김좌진, 박남파(박찬익), 손일민 등 여러 동지들과 더불어 대한독립의군부를 창립했다. 여준은 정령(正領)이 되고 나는 부령(부총재)의 임무를 맡아 대한독립선언서를 손수 기초했다. 국내 대표(나경석)가 가져온 (3·1)독립선언서의 초고를 살펴보고 서로 호응하기로 약속하였다. (조소앙, 〈자전〉)

이 글은 1943년 4월 조소앙이 한국독립당 중앙집행위원장에 선출됐을 때 자서전을 집필하면서 기록한 것이다. 조소앙은 1월(양력으로는 2월)에 대한독립의군부가 조직됐고, 국내의 3·1독립선언서 초고를 받기 전에 이미 대한독립선언서를 완성했던 것으로 기억했다. 조소앙의 또 다른 회고('3·1운동과 나', 〈자유신문〉 1946년 2월 26일자)를 보더라도 대한독립선언서는 1919년 2월 중·하순에 발표된 것으로 추정된다.

조소앙의 회고는 정원택의 기록 및 사건 전개 과정과 기본적으로 일치하나, 날짜에서는 보름가량 차이가 난다. 이는 3대 독립선언서(대한독립선언서, 2·8독립선언서, 3·1독립선언서) 중 어느 것이 먼저냐 하는 해묵은 논쟁의 불씨가 됐다. 지금까지는 대한독립선언서의 날짜 표기인 '단군기원 4252년 2월 일'을 1919년 양력 2월 1일로 보고, 2·8독립선언서와 3·1독립선언서에 앞선 것으로 평가해왔다.

그런데 최근 정원택과 조소앙의 엇갈리는 기록을 최종 판가름해줄 수 있는 자료가 발견됐다. 대한독립의군부 조직과 국외 독립선언운동의 '배후'인 동제사의 수장 신규식이 1920년에 발간한 주보(週報) 〈진단〉에서 주요 독립선언서의 발표 순서를 명확히 나열한 것이다.

근년(近年) 이래로 중요한 선언으로는 공히 5차례가 있었다. 최초는 상해선포(上海宣布, 대동단결선언)다. 그 두 번째는 동경선포(東京宣布, 2·8독립선언서), 세 번째는 길림선포(吉林宣布, 대한독립선언서), 네 번째는 한국 경성선포(京城宣布, 3·1독립선언서), 다섯 번째는 해삼위선포(海參威宣布, 연해주독립선언서)다. (《진단》 창간호, '國內外韓人之獨立宣言' 8면 기사, 1920년 10월 10일자)

〈진단〉은 3·1운동을 전후해 중요한 의미가 있는 독립선언서로 5개를 꼽았다. 여기서 〈진단〉은 1919년 2월 8일 도쿄의 독립선언서와 3월 1일 서울의 독립선언서 사이에 지린의 대한독립선언서가 발표된 것으로 '서열'을 매겼다. 동제사 총재인 신규식과 이사장 박은식이 이름을 걸고 발행한 잡지가 〈진단〉인 만큼 기록에 대한 신뢰는 남다를 수밖에 없다. 국학연구소 김동환 연구원은 "이

자료는 그간의 해묵은 논쟁에 마침표를 찍는 결정적 자료"라고 평가했다.

그렇다면 지린에서 만들어진 대한독립선언서가 선포된 옌벤 (延边)조선족자치주의 허룽(和龍)시는 지금 어떤 모습일까? 대한 독립선언서 서명자 가운데 한 명인 윤세복(1881~1960)은 허룽의 대종교 총본사에서 대한독립선언서 선포가 이뤄졌다고 회고했 다.(신철호, 〈대종월보〉 제30호, 1979년 기고문)

대종교 총본사 터는 지린시에서 동남쪽 도로로 500여 킬로미 터 떨어진 곳에 자리 잡고 있다. 대종교는 국내에서 일제에 의해

대한독립선언서 선포가 이뤄진 대종교 총본사 터(공장 건물).

포교 금지령(1915년 10월) 조치를 받은 후 같은 해 11월 허룽현의 중국 당국으로부터도 포교 금지령을 받았다. 따라서 독립선언서 선포도 비밀리에 이행됐다. 김동환 연구원은 대한독립선언서의 공식 발표가 드러나지 않은 것도 이런 점 때문이라고 밝혔다.

현재 허룽시 청호(淸湖)마을로 불리는 이곳에는 몇 가구의 촌락이 형성돼 있을 뿐 어떠한 흔적도 찾아볼 수 없다. 대종교 총본사 터에는 현대식 공장이 들어서 있다. 다만 청호마을을 굽어보는 청호종산의 낮은 구릉에 모신 '대종교 삼종사 묘역'만이 옛적 일을 회고하는 듯 서 있다. 대종교를 이끈 홍암 나철(1863~1916),

대종교 삼종사 묘역(왼쪽부터 백포 서일, 대종교 대종사 홍암 나철, 무원 김교헌 선생).

무원 김교헌(1868~1923), 백포 서일(1881~1921) 세 종사는 민족운동가이자 항일지사로 활약했다.

대종교 총본사는 백두산 천지를 기준 삼아 동북쪽으로 100여 킬로미터 떨어진 곳에 자리 잡고 있다. 매년 6월 20일경 하지(夏至)에 해가 떠오르면 대종교 총본사와 백두산은 일직선으로 이어진다. 이른바 하지일출선(夏至日出線)상의 배치다. 옛 고구려인들이 그랬다. 고구려 사람들은 주산(主山)을 중심으로 하지일출선 방향에 중요한 건물과 왕의 무덤 등을 배치했다. 가장 왕성한 해의 기운을 받아들이려는 풍수적 의도였다. 민족종교 창시자인 나철이 백두산을 순례한 후 일찌감치 이곳 청호마을을 본사로 점찍은 이유 중 하나였을 것이다.

어쨌든 만주에서 대한독립선언서가 선포된 이후 국내에서의 3·1운동은 불에 기름을 부은 격으로 들불처럼 번져나갔다.

첩보

고종 독살 소식에 격분하다

1918년 11월, 제1차 세계대전이 미국, 영국, 프랑스 등 연합국의 승리로 끝나고 윌슨 미국 대통령이 전후 문제 해결을 위해 민족자결주의 원칙을 제시하자 전 세계 피압박 민족은 환호했다. 국내도 예외는 아니었다. 1919년 1월부터 시작되는 파리평화회의에 대비해 일본과 중국, 미국 등지의 항일단체들이 활발한 활동을 하고 있을 무렵, 국내에서도 한 조직이 자체적으로 정보를 수집하고 대비하고 있었다. 바로 국내 비밀 항일결사체인 천도구국단(天道救國團)이다.

1918년 11월 20일 천도구국단을 이끄는 이종일(1858~1925)의 마음은 착잡했다. 단원으로부터 "(만주의) 중광단원(重光團圓) 39명이 우리보다 앞서서 무오대한독립선언서를 발표하려 한다"는 첩보를 듣고 나서였다. 6척 장신의 이종일은 고개를 푹 숙이고 "우리는 무얼 했는가. 망설임으로 이같이 낭패지경이 된 것"이라

며 장탄식을 했다.(이종일,《묵암비망록》)

중광단은 '만주의 전설'이자 독립군의 영웅인 서일(1881~1921)
이 이끄는 항일무장단체였다. 또한 만주 지역 대종교인들이 주류
를 이루고 있는 민족종교 조직이기도 했다.

이종일의 천도구국단 역시 무기와 군자금까지 비축해놓은 항
일 결사단체였다. 단원들도 민족종교인 천도교 교인들이 대다수
였다. 활동 주 무대가 국내인지 국외인지에서 차이가 있을 뿐, 두
단체는 선의의 경쟁의식도 없지 않았을 터다. 천도구국단장 이종
일로서는 해외의 중광단에 독립선언의 선수를 뺏긴 사실이 무엇
보다도 가슴 아팠다.

보성사로 위장한 정보기관

천도구국단은 중광단에 비해 규모나 인원 면에서 다소 뒤처졌
다. 그러나 국내 최대 종교단체인 천도교를 뒷배로 삼은 만큼 정
보 수집력이 뛰어났다. 대종교의 중광단 세력이 주축을 이룬 대
한독립의군부가 지린에서 국외 민족 지도자 39명의 이름으로 대
한독립선언서 발표를 준비하고 있다는 내용을 정확히 파악하고
있었던 사실만 보아도 알 수 있다.

대한독립선언서는 정작 1919년 2월에 발표됐지만, 무오년인 1918년부터 준비됐기 때문에 후대에 '무오대한독립선언서'로도 불리게 됐다. 이는 전적으로 이종일이 남긴 일기체 형식의 《묵암 비망록》에 의해서다.

이종일은 일찌감치 정보의 중요성을 누구보다도 잘 숙지하고 이용할 줄 아는 정보맨이었다. 1882년 8월, 이종일은 24세의 창창한 나이에 수신사 박영효의 사절단 일원으로 일본에 가서 개화된 문화를 체험했다. 또 1898년에는 〈제국신문〉을 창간해 사장 겸 기자로 활동하면서 정보를 직접 다루어본 경험도 있었다. 게

충남 태안군에 있는 이종일 선생 생가. (사진 제공: 독립기념관)

다가 여러 차례 일제에 의해 투옥되면서 경찰의 감시망을 뚫고, 그 예봉을 피하는 방도까지 능수능란하게 구사했다.(이종일,《묵암 비망록》1917년 6월 1일)

이종일이 1914년 8월 천도교 소속의 인쇄소 보성사 내에 천도 구국단을 결성한 것도 민족 봉기 운동을 조직적으로 추진하기 위해서였다. 이종일은 천도구국단의 명예총재에 손병희를 추대한 다음 자신은 단장으로 취임했다. 산하에 부단장(김홍규), 총무(장효근), 섭외(신영구), 행동대장(박영신) 등을 두고 단원 50여 명으로 조직을 꾸렸다. 자신이 사장으로 재임하고 있는 보성사의 사원들이 주축을 이루다 보니, 보성사는 인쇄소로 위장한 비밀 결사체로 변신했다. 후일 수만 장에 달하는 3·1독립선언서가 일제의 삼엄한 감시 속에서도 보성사에서 무탈하게 인쇄, 배포될 수 있었던 것도 이 같은 배경 때문이다.

천도구국단은 상하이의 비밀 결사집단이자 국내외 정보 수집 기관 역할을 한 동제사와도 성격이 유사했다. 동제사 수장 신규식이 그랬던 것처럼, 단장 이종일은 천도구국단의 섭외부를 통해 지속적으로 국제 정세 수집과 분석 등에 심혈을 기울였다. 물론 이를 국내 독립운동에 활용하기 위해서였다.

거사 택일과 좌절

천도구국단은 독립운동을 위해 직접 선두에 나서기도 했다. 이종일은 그간 천도교가 주축으로 나서는 거족적 독립운동을 꾸준히 주장해왔다. 그는 기회만 되면 천도교 지도자 손병희 (1861~1922)를 찾아갔다. 호걸풍의 손병희에게 "천도교가 선도해 제2의 동학혁명으로 독립을 되찾자"고 집요하고도 끈질기게 요청했다. 그러나 동학혁명 등의 경험을 통해 수많은 인명이 일제에게 희생당할 것을 염려한 손병희는 쉽게 결정을 내리지 못했다.

그러다 마침내 천도구국단의 소원이 이뤄졌다. 지도자 손병희가 각계각층이 참여하는 '대중화', 각 방면에서 추진하고 있는 독립운동 세력의 '일원화', 그리고 '비폭력화'라는 3대 원칙에 입각한 민중운동이어야 한다는 전제 아래 거사를 승인한 것이다.(이종일,《묵암비망록》 1918년 5월 6일) 1919년 3·1운동의 비폭력 평화주의는 여기서 잉태되었다고 할 수 있다.

거사 날짜는 1918년 9월 9일로 정해졌다. 천도구국단의 면밀한 정세 분석 끝에 택일(擇日)한 날짜였다. 그 당시 일본은 자국 열도의 쌀 소동 사태를 수습하느라 정신이 없었다. 일본 국내에서 쌀 도매업자들과 지주들이 결탁해 매점매석을 하느라 쌀값이 폭등하자 분노한 군중이 폭동을 일으켰다. 1917년 초에 15엔 하던 현미 1섬 가격이 이듬해인 1918년 7월에 30엔으로, 8월에는 41엔까지 치솟자 견디지 못한 하층민들이 싸전을 부수는 등 전국 각지에서 소동을 일으켜 치안이 마비되는 상황에까지 이르렀다. 이종일은 일제가 자국 문제로 정국이 혼란스러운 틈을 이용해 기습적으로 거사하면 성공할 수 있을 것으로 판단했다.

또 이때는 윌슨의 민족자결주의 바람이 전 세계적으로 불던 시기이기도 했다. 1918년 2월 리투아니아와 에스토니아의 독립 선언이 있었고, 5월에는 체코, 유고, 폴란드 등 한국과 비슷한 처지에 있는 나라들이 잇따라 민족자주권을 선언했다.

물론 이종일은 윌슨의 민족자결주의 원칙이 한국에는 적용되지 않을 것이라 예측하고 있었다. 윌슨의 주장은 제1차 세계대전에서 패전국에 소속된 약소국을 대상으로 하는 독립 원칙인데, 일본은 패전국이 아닌 승전국이 될 것으로 정세 분석을 했기 때문이다.(이종일, 《묵암비망록》 1918년 1월 27일) 다시 말해 이종일은 1918년 11월 독일의 항복으로 전쟁이 종결되기 10개월 전에 이미 일본이 연합국의 편에 서서 승전국이 될 것이라고 판단한 것이다. 다만 민족자결주의 분위기를 거사에 활용할 만한 가치는 있어 보였다.

거사는 치밀하게 진행됐다. 천도구국단 단원들은 1910년 국권 피탈 이후 일제의 한국인에 대한 차별적 대우로 분노가 쌓인 노동자, 농어민, 상인 등을 동참시키는 준비도 끝내두었다.

위급할 경우를 대비해 무기와 군자금도 진작 확보해놓고 있었다. 사실 이종일은 일제의 헌병경찰 통치를 벗어나는 길은 무력밖에 없다고 믿었다. 〈제국신문〉 시절부터 이종일과 호흡을 함께 해온 장효근과 신영구 등도 이에 뜻을 같이했다.

> "손의암(손병희)은 원칙적으로 무장세력 배양을 반대하지만 일단은 (무기를) 구입해두든지 일본 헌병경찰 것을 절취해다가 은닉해두는 방법도 있을 것이오. 겉으로는 항상 평온한 척하면서 일을 계속 진행시키시오."(이종일, 《묵암비망록》 1913년 11월 18일)

이종일의 지시에 따라 1916년 4월 보성사의 비밀창고에는 일본식 장총 10여 정, 실탄 200발, 군자금 600여 원이 비축돼 있었다. 낌새를 눈치챈 일본 형사들이 이종일의 집과 보성사 주위를 기웃거리고 미행을 붙였지만 발각되지 않았다. 이종일은 장총 100정, 군자금 10만 원을 목표로 보성사 비밀창고를 계속 채워나가고 있었다. 지도자 손병희의 지침대로 평화적인 비폭력 시위를 전개할 예정이지만 여차하면 무력항쟁을 하리라는 게 정보맨 이종일의 속내였다.

훤칠한 키에 한복 차림을 즐기는 그는 선비이자 학자였지만 독립에 관한 일에서만큼은 열혈 투사였다. 그러나 이종일이 천도교 내부에서조차 과격파라는 낙인이 찍히는 걸 감수하면서까지 추진한 1918년 9월 9일의 거사는 좌절되고 말았다. 이유는 여러 가지였다. 손병희 등의 주도로 구한국(舊韓國)의 고관(高官) 출신 및 원로급 인사들에 대한 거사 동참을 교섭했으나 지연되었고, 민중 동원력도 다소 미숙했다. 게다가 선언서를 쓰기로 한 최남선도 기간에 맞춰 글을 완성하지 못했다.

국내 3·1운동이 벌어지기 6개월 전에 시도한 거사가 불발로 돌아감에 따라 이종일은 무척 아쉬웠다. 그러던 참에 그해 11월 만주에서 중광단의 독립선언 발표 얘기를 들었으니 그 좌절감은 더욱 클 수밖에 없었다.

고종 독살 사건으로 다시 일어서다

1919년, 해가 바뀌었다. 실의에 빠졌던 이종일의 천도구국단이 다시 분주해졌다.

"어제(1월 21일) 고종이 일본에 의해 독살당했다. 이것은 무엇보다도 대한인(大韓人)의 울분을 터뜨리게 하는 일대 요건이 아닐 수 없다. 우리의 민중시위 구국운동은 이제 진정한 민중으로 성숙될 것이다. 그동안 몇몇 국민을 만나니 전부 고종 황제 독살건으로 격분, 절치부심하고 있기 때문이다. 이제야말로 우리의 숙원이던 민족주의 민중운동은 본격화될 것이다. 이 운동에 아니 참여할 자 있겠는가."(이종일, 《묵암비망록》

1919년 1월 22일)

이종일은 고종의 사망을 처음부터 '독살'로 규정하고, 이것이 민족운동을 할 절호의 기회라고 판단했다. 고종 독살 소식은 천도구국단의 정보망이 가동한 결과였을 것으로 추정된다. 당시 고종 황제의 사인(死因)에 대해서는 일제 측에 의한 자연사 또는 뇌일혈사 설(說)과 한국인들이 제기한 독살설 등 온갖 추측이 나돌았다. 그런데 국내 최대 종교를 자랑하는 천도교 수장 손병희가 자신의 이름을 걸고 국민대회(國民大會) 소집을 포고하는 격고문(激告文)에서는 독살설이 기정사실화되었다. 1919년 1월, 총 616자로 발표된 격고문의 내용은 이러했다.

우리 고종 황제의 서거 원인을 알고 있습니까, 모르고 있습니까. 평소 건강하시옵고 또 병환의 소식이 없었는데 평일 밤 궁전에서 갑자기 서거하시니 이 어찌 상식적인 이치이겠

습니까. …… 황제의 식사를 받드는 두 명의 궁녀에게 부탁
해 밤에 황제가 드시는 식혜에 독약을 섞어 잡수시게 드리니
이를 드신 황제의 옥체가 갑자기 물과 같이 연하게 되고 뇌
가 함께 파열하셨으며 구규(九竅, 인체 내 9개의 구멍)에 피가 용
솟음치더니 곧 세상을 떠나셨소이다. 곧 두 명의 궁녀도 위협
하여 나머지 독약을 먹여 처참히 죽게 하고 입을 틀어막았으
니 차마 저 왜적의 마음이 점점 더 우쭐해질 수 있겠습니까?

이처럼 격고문은 고종이 일제의 간계에 의해 독살됐다고 분명
히 명시했다. 격고문은 또 일제가 '한국 민족은 일본의 어진 정치
에 기쁜 마음으로 순종하여 갈라져서 따로 서는 것을 원치 않는
다'는 증명서를 파리강화회의에 제출하기 위해 고종에게 승인을
강요했으나 고종이 이를 거부하자 죽였다고 했다.

이종일은 고종의 독살로 민중 사이에 봉기 분위기가 무르익었
다고 판단한 후 1919년 2월 15일 손병희를 찾아갔다. 그 자리에
서 이종일은 일본 도쿄에서 2월 8일 학생들의 독립선언 발표가
있었다고 보고했다. 손병희가 이종일에게 말했다.

"어린 학생들이 오히려 우리보다 월등하구려. 묵암(이종일)의
오래전부터의 민중시위 운동을 속히 결단하지 못했음이 민

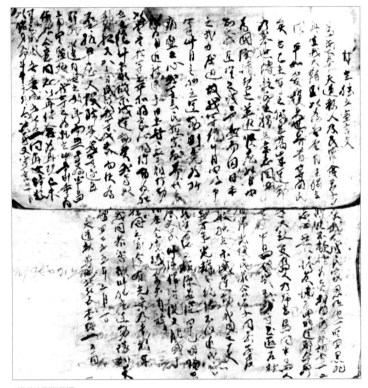

이종일의 독립선언문.

망할 뿐이오."

손병희와 이종일은 다시 거사를 일으키기로 결의했다. 국내의 전반적인 분위기도 점점 고조되었다. 국내 대표적 종교인 천도교, 기독교, 불교 등이 손을 맞잡았고, 도쿄 유학생들의 2·8독립선언으로 크게 자극받은 국내 학생들이 자발적으로 동참했다. 중앙학교와 보성학교 등 교육계의 쟁쟁한 인사들도 발걸음이 빨라지기 시작했다.

제5장 〈첩보〉 관련 주요 인물

이름	생년	출신지	주요 활동
이종일	1858	충남 태안	1898년 한글신문인 〈제국신문〉 창간, 대한제국민력회 결성, 흥화학교 설립 등 민족교육 운동에 앞장섬. 1905년 천도교의 보성학교 초대 교장, 1910년 보성사 사장을 지내며 1914년에 천도구국단을 조직함. 1919년 3·1독립선언서를 인쇄했고, 민족대표 33인으로서 일제에 체포됨. 1922년 출옥 후 제2차 독립선언서(자주독립선언문)를 발표하다가 일본 경찰에 압수당했고, 1925년 단식으로 순국.
손병희	1861	충북 청원	1882년 동학에 입문해 1897년 동학 제3대 교주로 취임. 1905년 동학을 천도교로 개칭한 후 천도교 내 친일세력을 제거한 다음 민족운동에 앞장섬. 1919년 3·1운동의 주모자로 체포돼 옥고를 치르다 1922년 병사.
서일	1881	함북 경원	1912년 중광단을 조직해 독립운동을 펼침. 1919년 3·1운동 후 중광단의 후신인 대한군정서(북로군정서)를 조직해 일본군을 상대로 무장투쟁을 펼침. 북로군정서의 총재로 김좌진 등과 함께 청산리 대첩에서 승리를 거둠.

북촌 모의

중앙학교 숙직실에서 열리는
비밀 회합

경성 북촌의 계동 1번지 중앙학교. 수목이 울창한 삼청동 산비탈에 자리 잡은 2층 규모 붉은 벽돌집 학교는 장안의 명물로 부상했다. 1917년 11월 오로지 민족 자본만으로, 그리고 선생과 학생들이 직접 터를 닦고 돌을 나르는 등 민족의 열정과 땀으로 완공한 새 교사(校舍)였다.(〈매일신보〉 1917년 12월 4일자)

학교 부지는 인촌 김성수(1891~1955)가 직접 고른 터였다. 뒤로는 북악산의 정기를 받고 앞으로는 경성 장안을 한눈에 굽어보면서 학생들의 호연지기를 기르려는 인촌의 의지가 실린 명당이었다.

선생과 학생은 모두 머리를 짧게 깎았다. 300명의 학생들은 해군장교 복장과 유사한 교복과 검은 천을 두른 교모를 착용했다. 일제에 항거하는 듯한 인상을 진하게 풍기는 두발과 제복이었다. 민족학교에 다니는 학생들은 자부심이 대단했다. 중앙학교가 유명해지자 일본 관리들 사이에 "누가 중앙학교를 허가해주었느냐"며 책임 문제가 불거질 정도였다.(고하송진우선생전기편찬위원회,《독립을 향한 집념: 고하 송진우 전기》)

교사들의 진용 또한 화려했다. 최규동과 이중화, 이광종, 이규영, 권덕규 등 당대의 대가들을 포함해, 김성수와 송진우, 최두선, 이강현, 현상윤, 나경석 등 일본 유학을 한 쟁쟁한 실력파들이 학생들을 가르쳤다. 학교 설립자인 인촌 김성수는 직접 영어와 경제를 가르치는 평교사로 근무했고, 교장인 고하 송진우(1890~1945)는 자신의 월급보다 교사들을 더 후하게 대우했다. 조선인 사회가 인촌과 중앙학교에 대해 기대를 크게 가질수록 일제 총독부의 감시와 경계는 강화됐다.

사실 중앙학교는 교육광복(敎育光復)과 민족갱생(民族更生)의 요람답게 민족 운동가들을 배출하는 양성소이자, 배일(排日) 독립 의지를 키우는 근원지였다. 일제에 대한 테러로 일본인의 간담을 서늘케 한 의열단 단장 김원봉과 조선의용대를 창설한 김두봉, '빼앗긴 들에도 봄은 오는가'로 유명한 민족시인 이상화 등 쟁쟁한 독립운동가들이 중앙학교 출신이었다.(중앙100년사 편찬위원회,《중앙백년사》) 또한 3·1운동이 전개되자 중앙학교 학생들이 시위를 주도하기도 했다. 이때 일제에 검거돼 체형을 받은 중앙학교 학생들만도 확인된 범위에서 30여 명으로 알려졌을 정도

1917년 11월 북악산 자락 아래에 들어선 중앙학교. (사진 제공: 중앙고교)

다.(인촌기념회,《인촌 김성수전》)

국내와 해외의 연결 거점이 된 중앙학교 숙직실

1919년 1월, '북촌의 명소' 중앙학교 교정은 겨울의 삭풍 속에서도 미묘한 열기로 후끈 달아올랐다. 도쿄 유학생 송계백이 2·8 독립선언서 초안을 들고 중앙학교를 찾아온 이후부터 3·1운동을 모의하는 책원본부(策源本部)로 변신했기 때문이다.

교실 앞 운동장 동남쪽에 자리한 중앙학교 숙직실(당시 교장 사택으로 활용)은 밤늦게까지 불이 밝혀져 있곤 했다. 설립자 인촌과 교장 고하, 교사인 기당 현상윤(1893~?)이 함께 생활하며 민족의 미래를 설계했다. 또 외부에서 찾아온 지사들은 학생들이 바깥에서 일본 밀정의 미행을 감시하는 동안, 중앙학교 팀과 함께 은밀하고도 활발하게 독립운동을 논의했다.

인촌과 고하는 인근 김사용의 집(계동 130번지)에서 끼니를 해결했다. 자연스럽게 인촌의 서울 거처 또한 식사를 빙자한 독립운동 회합 장소가 됐다. 해외 유학파들과 국내 지사들은 서울에 오면 으레 중앙학교와 인촌의 거처를 방문하곤 했다. 미국에서 활동 중인 여운홍(여운형의 동생)이 파리강화회의에 제출하기 위한

'독립청원 백만 인 서명'을 받아오라는 밀명을 받고 국내에 잠입한 뒤 곧장 찾은 곳도 인촌의 거처였다.(이경남,《설산 장덕수》) 여운홍 역시 이곳 중앙학교 출신이었다.

이처럼 북촌은 중앙학교를 중심으로 국내와 해외를 연결하는 거점이 됐다. 문제는 국내에서 대규모 독립운동을 어떤 방식으로 이끌어내느냐 하는 점이었다. 김성수, 송진우, 현상윤 등 중앙학교 팀은 국내 독립운동이 어느 한두 개 종파나 단체의 힘만으로는 성공할 수 없다고 보았다. 따라서 국내의 주된 민족 세력이 모두 단결하여 거사하고, 국외에서 이에 성원을 보내는 활동이 가장 효과적이고 이상적인 운동이 될 수 있다고 판단했다.(고하송진우선생전기편찬위원회,《독립을 향한 집념: 고하 송진우 전기》)

이들은 먼저 천도교에 손을 내밀기로 했다. 도쿄의 2·8독립선언과 보성사 내 천도구국단의 활동 등을 통해 국내외 동향을 파악하고 있던 천도교 수장 손병희는 연대를 통해 민족적 거사를 벌이기로 최종 결심했다.

천도교 측의 동참 의사를 확인한 송진우와 현상윤 등은 즉각 천도교 산하 교육기관인 보성학교 교장 최린(1878~1958)의 집에 모여 비밀회합을 가졌다. 손병희의 의견을 대리하는 최린은 중앙학교 팀과 함께 독립운동 거사의 주춧돌이 됐다. 최린은 중앙학교 교사 현상윤의 보성학교 시절 스승이기도 했다.

중앙학교 숙직실(오른쪽 건물)과 중앙학교 운동부 학생들(아래)이 사용하던 합숙소(왼쪽 건물).
(사진 제공: 중앙고교)

　이들은 밤이 깊도록 독립운동 실행에 관한 구체적 계획과 방법을 논의했다. 우선 민족대표자 명의로 조선 독립을 선언한 후, 그 선언서를 인쇄해 전국에 배포하고, 국민이 총동원된 대규모 시위운동을 전개해 조선민족의 독립 열망을 내외에 알리는 순서로 운동을 전개하기로 결론지었다.(현상윤, 〈3·1운동 발발의 개략〉)

　공교롭게도 독립운동을 계획하는 이들이 모두 북촌에 거주하고 있었다. 운동의 본부 역할을 맡은 중앙학교가 북촌에 있을 뿐만 아니라, 최린은 재동 68번지(현재 헌법재판소 자리)에 살고 있었고, 손병희는 가회동 170번지(현재 북촌박물관 자리)에 머물고 있었다. 민족대표 33인 가운데 한 사람인 만해 한용운이 운영하던 유심사(계동 43번지) 또한 북촌에 둥지를 틀고 있었다. 조선조 이래

110

양반 집권층이 모여 살던 북촌은 바야흐로 3·1독립만세운동의 최전선 기지가 됐다.

이광수의 문장에 자극받은 최남선

3·1독립선언서 작성 또한 이들에 의해 주도됐다. 당대의 대문장가로 유명한 최남선(1890~1957)이 3·1독립선언서 작성에 나선 데는 도쿄의 2·8독립선언서가 적지 않은 역할을 했다. 당시 신문관(을지로2가 21번지)이라는 출판사를 경영하고 있던 최남선은 18세에 한국 최초의 신체시 '해에게서 소년에게'를 발표한 문인으로 도쿄 유학생 출신인 이광수, 홍명희와 함께 '동경삼재(東京三才)'로 불리기도 했다.

조선의 3대 천재로 꼽히는 이들을 일찌감치 눈여겨봐왔던 이들이 중앙학교 팀이었다. 특히 송진우와 현상윤은 도쿄 유학생들의 거사 계획 이전부터 최남선을 끌어들여 독립운동을 함께하기 위해 엄청나게 노력했다. 그러나 그토록 공을 들였음에도 최남선은 "나는 정치를 모르는 사람이오" 하면서 꿈쩍도 하지 않았다. 그런 그에게 송진우가 내민 회심의 카드가 바로 2·8독립선언서였다. 송진우가 때마침 중앙학교를 찾아온 최남선에게 선언서를 들이밀었다.

최남선은 도쿄 유학생 후배들의 거사 계획과 독립선언서를 보고서는 커다란 충격을 받았다. 최남선은 얼굴이 붉으락푸르락해지면서 선언서를 읽는 손까지 떨었다. 게다가 이광수가 초안 작성에 참여했다는 말을 듣고서는 흥분한 목소리로 국내에 사용할 독립선언서는 자신이 직접 작성하겠다고까지 다짐했다.(고하송진우선생전기편찬위원회,《독립을 향한 집념: 고하 송진우 전기》)

최남선은 독립선언서를 비롯해 일본 정부와 귀족원, 중의원 및 조선총독부에 보내는 통고서, 그리고 미국 대통령 윌슨에게 보내는 청원서, 파리강화회의의 열국 위원들에게 보내는 서한까지 도맡아 집필하기로 했다.

선언서의 내용과 관련해서 천도교의 손병희는 특히 이렇게 강조했다.

"그 문서는 누가 쓰든지 감정에 흐르지 말고 온건하게 쓰지 않으면 안 된다. 그 문의(文意)는 동양 평화를 위하여 조선이 독립함이 옳다는 뜻으로 독립선언서를 발표하여 일반에 보이도록 해야 한다."(동아일보사,《3·1운동 50주년 기념 논집》)

최남선은 천도교 측 최린을 통해 선언서의 취지와 집필 방향을 전달받은 뒤 곧바로 작업에 들어갔다. 그런데 정작 선언서를 맡기는 쪽 입장에서는 조바심이 생길 수밖에 없었다. 거사 전에 선언서가 발각되면 모든 일이 수포로 돌아가기 때문이었다. 게다가 최남선은 한 해 전인 1918년 9월 천도교 측으로부터 독립선언서 집필을 의뢰받았다가 완성을 보지 못한 '전력'을 가지고 있었다.(이종일,《묵암비망록》)

당시 일제의 요시찰 대상이었던 최남선은 자신의 집인 삼각정(현재 중구 삼각동) 대신 초음정(初音町, 현재 을지로5가 오장동) 근처한 일본 여성 집의 학생 공부방을 3주간 빌려 비밀리에 글을 짓고 있었다.

어느 날, 현상윤이 선언문 작성이 어느 정도 진행되고 있는지 알아보러 최남선이 머무는 집을 찾았다. 최남선이 집에 없다고 하기에 그대로 돌아 나오려 하려는데, 일본 여성이 말했다. "현 선생님이 무엇 때문에 여기를 왔는지 나는 잘 알고 있습니다." 현상윤은 순간 어이가 없는 표정으로 "알기는 무얼 아오? 나는 최 선생을 좀 만나보러 왔을 뿐이오" 하고 얼버무렸다. 그러자 그녀는 크게 웃으면서 "이왕 여기까지 왔으니 들어와서 보고 가시지요" 하고 방으로 들어오기를 권했다.

일본 여성의 강권에 방에 들어간 현상윤은 기절초풍했다. 그녀가 자기 옷깃에서 독립선언서를 주섬주섬 꺼내 보여주는 게 아닌가. 현상윤이 새파랗게 질린 채로 선언서를 읽고 있는 동안 그녀는 아들(일본인 전남편과의 사이에서 태어난 21세 청년)까지 부르더니 그의 옷깃에서 일본 정부에 보내는 통고서까지 꺼내 보여주었다.(현상윤의 회고, 〈동아일보〉 1949년 3월 1일자)

사실 일본 여성은 최남선이 일본에서 유학하다가 함께 귀국한 임규(1867~1948)의 부인이었다. 당시 임규는 중앙학교에서 일본어를 가르치다가 최남선이 경영하던 조선광문회에 들어가 고전 간행 일을 하고 있었다. 3·1독립선언서와 독립청원서를 일본어로 주석·번역한 뒤 일본에 건너가 일본 내각과 중의원, 귀족원 등에 우편으로 통고한 인물이 바로 임규다.

최남선은 일본인이 사는 집에서 집필 활동을 하면서 중앙학교 팀 및 천도교 측과 여러 차례 문구에 대해 협의했고, 2월 10일 무렵 독립선언서 초안을 완성할 수 있었다.

뒤에 현상윤이 위험천만한 일을 벌인 최남선에게 따져 물었다. 그러자 최남선은 "우리 집이나 조선 사람에게 맡겨두는 것보다는 일인에게 맡겨두는 것이 더 안전할 것 같아서 그랬다"고 답했다. 그럴듯한 비밀 조치이기는 했으나, 현상윤은 3·1운동이 일어나는 그날 그 순간까지 외나무다리를 타는 듯 아슬아슬한 마음을 놓지 못했다. 현상윤은 "기미독립운동은 참말 천우신조였다"고도 회고했다.

제6장 〈북촌 모의〉 관련 주요 인물

이름	생년	출신지	주요 활동
최린	1878	함남 함흥	1904년 대한제국 황실 파견 유학생 자격으로 일본에 건너가 1909년 메이지대 법학과 졸업. 1910년 천도교에 입교한 후 천도교 산하의 보성학교 교장, 천도교 도령 등을 역임했으며 1938년 〈매일신보〉 사장을 지냄.
현상윤	1893	평북 정주	1913년 보성학교 졸업 후 일본으로 유학을 가 1918년 와세다대 졸업. 귀국 후 중앙학교 교사로 부임했으며 3·1운동에 가담. 중앙고등보통학교(중앙학교) 교장을 거쳐 1946년 고려대 초대 총장을 지냄. 6·25전쟁 중 납북됨.
임규	1867	전북 익산	1900년 일본 게이오의숙을 졸업한 뒤 1908년 최남선과 함께 귀국해 중앙학교 등에서 일본어를 가르침. 3·1운동 당시 48인의 한 사람으로 독립운동에 참여. 일본에 건너가 각계 요로에 독립선언서 등을 발송.

독립선언서 '3각 연대'

최남선이 1919년 2월 상순에 완성한 독립선언서 초안은 중국 만
주에서 대한독립선언서를 기초하고 있던 조소앙에게도 전달됐
다.(조소앙. 〈자전〉) 이때도 중앙학교 팀이 나섰다. 중앙학교에서
물리학을 가르치던 교사 나경석(1890~1959)이 3·1독립선언서
초안을 비밀리에 휴대하고서 지린까지 들고 갔던 것이다.

최남선이 작성한 3·1독립선언서가 만주에 도착함으로써 남쪽
도쿄에서 이광수가 기초한 2·8독립선언서, 북쪽 만주에서 조소
앙이 기초한 대한독립선언서 등 3개의 선언서는 3각 연대를 구축
하게 되었다.

세 가지 독립선언서는 서로를 참조했음에도 불구하고 그 성격

이 조금씩 달랐다. 북쪽 만주의 대한독립선언서가 육탄혈전을 외치는 무장 투쟁에 주안점을 두었다면, 국내의 3·1운동은 평화주의에 근거한 독립운동에 초점을 두고 있었다. 도쿄의 독립선언서는 그 중간쯤이었다.

그리고 이 모든 일의 진행 상황은 중국 상하이의 신한청년당 조직으로도 전달되고 있었다. 동제사라는 뒷배를 둔 신한청년당은 그간 국내, 일본, 만주 및 연해주 등지에 요원들을 파견해 독립운동을 고취하는 데 앞장서왔다. 당시 발간된 〈독립신문〉(1919년 8월 26일자)은 신한청년당이 김규식, 장덕수, 여운형, 김철, 선우혁, 서병호를 파리, 일본, 러시아령, 국내로 파견함으로써 "정숙하던 한토(韓土) 삼천리에 장차 일대 풍운이 기(起)할 조(兆)가 유(有)하더라"고 평가했다. 그 결과 독립선언서라는 풍성한 열매가 이곳저곳에서 출현해 상하이로 날아들었던 것이다.

도쿄의 2·8독립선언서는 동제사 요원이기도 한 이광수가 직접 상하이로 가 보고했고, 지린의 대한독립선언서는 대한독립의군부 조직을 통해 상하이로 전달됐다.

국내의 3·1독립선언서 또한 상하이로 전달됐다. 3·1운동 발발 일주일 전인 2월 22일, 기독교 목사 현순은 국경 압록강을 넘어 만주와 중국에 있는 한국인 비밀 조직의 안내로 중국 상하이의 안전지대인 프랑스 조계에 도착했고(데이빗 현, 《현순목사와 대한

국내 3 · 1운동을 기획한 중앙학교
핵심 인물들. 왼쪽부터 김성수,
최두선, 송진우, 현상윤.

독립운동》) 이후 비밀 연락망을 통해 그에게 독립선언서가 무사히
전달됐다.

한편 임규가 일본 현지에서 일본 내각과 중의원 등에 보낸 독
립선언서와 통고문의 임무 수행 과정을 적은 비밀 보고서 역시
본국의 인촌 집과 상하이로 전달됐다.(중앙100년사 편찬위원회,《중
앙백년사》)

대한민국 임시정부가 출범하기 전, 이미 상하이에서 동제사와
그 전위조직인 신한청년당이 중앙학교 등 국내 조직과 긴밀한 유
대를 맺고 독립운동 모의 단계부터 깊숙하게 개입하고 있었음을
알려주는 방증이다.

풍전등화

어긋나는 신호와 흔들리는 사람들

1919년 2월, 앞으로 있을 3월 1일의 거사를 코앞에 둔 시점이었다. 경성 서촌(西村) 이완용(1858~1926)의 집(종로구 옥인동)에 봄을 재촉하는 비가 내렸다. 쉰여덟 살의 천도교 지도자 손병희가 형형한 눈빛으로 말했다.

"세상에서 당신을 매국적이라고 하는데 흥국대신(興國大臣) 한번 될 생각은 없소?"(유광렬, '나의 이력서', 〈한국일보〉 1974년 3월 2일자)

추적추적 내리는 빗소리 사이로 새어나오는 말은 분명히 이완용에게 나라를 다시 일으키는 대신이 되어보라는 요구였다. 손병희가 나라를 팔아먹은 을사오적의 수괴로 지탄받던 이완용더러 독립운동의 민족대표로 나서라고 한 것이다. 호방한 성품으로 유명한 손병희가 독립운동의 명운이 걸린 큰 도박을 벌인 셈이었다. 당시 이완용은 독살 의혹이 난무한 고종의 국장(國葬) 준비를 하느라 여념이 없던 차였다. 그러다 손병희의 갑작스러운 비밀 방문에 놀랐고, 경천동지할 제의에 충격까지 받았다. 정자 바깥으로 내리는 비를 한참 응시하던 이완용은 비감한 표정을 지으며 "고맙소" 하고는 말을 이었다.

> "내가 2천만 동포에게 매국적이라는 이름을 들은 지 이미 오래요. 이제 새삼스러이 그런 운동에 가담할 수는 없소. 이번 운동이 성공해 독립이 되면, 먼 다른 동리 사람들을 기다릴 것 없이 우리 동네 이웃 사람에게 맞아 죽을 것이외다. 손 선생의 이번 운동이 성공해 내가 그렇게 맞아 죽게 된다면 다행한 일이올시다." (의암손병희선생기념사업회, 《의암 손병희 선생 전기》)

이완용은 거절했다. 대문을 나와 인력거에 몸을 싣는 손병희의 발걸음은 무거웠다. "이완용을 독립운동에 가담시키는 것은 독립운동에 대한 모독일 뿐만 아니라, 만일 그가 일본인에게 누설하기라도 하면 거사가 수포로 돌아갈 것"이라는 오세창과 권동진 등 측근의 만류에도 불구하고 나선 길이었다. 손병희는 "매국적이라는 소리를 듣는 이완용까지 독립을 원한다면 온 민족이 다 독립을 원하는 것이 되지 않겠는가" 하고 말하여 이번 일을 강행한 차였다.

이완용은 3·1운동 발발 때까지 거사 계획을 고발하지는 않았다. 그러나 자칫 독립운동이 허사가 될 위험은 있었다. 이완용은 3·1운동 발발 후 일제 기관지인 〈매일신보〉에 만세운동을 망동(妄動)이라고 비난하며 부화뇌동하지 말라는 경고문을 세 차례나 게재했다.

"독립운동을 중지합시다"

손병희가 거사 실패라는 위험한 도박을 감수하면서까지 이완용을 교섭 대상으로 삼았던 것은 당시 상황이 매우 절박했기 때문이다. 그간 국내에서는 중앙학교가 중심이 돼 각계각층이 참여하는 대규모 독립선언운동을 치밀하게 준비하고 있었다. 최남선이 집필하는 독립선언서는 완성 단계에 있었다. 독립선언서에 서명할 민족대표들을 규합해 서명하고 날인하는 일만 남았다. 독립선언서의 화룡점정(畵龍點睛) 같은 일이었다.

민족 역량을 총집중하는 궐기인 만큼 조선왕조와 대한제국 시기의 명망가들을 참여시키는 게 중요했다. 자의든 타의든 일제의 비호를 받고 있으면서 인망과 덕망이 높은 이들이 독립선언서 대표자로 서명하면 천군만마를 얻은 효과를 거둘 수 있을 터였다.

중앙학교의 송진우와 현상윤, 선언서 작성을 담당한 최남선, 천도교 핵심 인물이자 보성학교 교장인 최린 등 4명이 실무를 맡았다. 이들은 박영효, 한규설, 윤치호, 윤용구, 김윤식 등을 대상 인물로 꼽았다.

그러나 손병희와도 막역한 사이인 박영효를 비롯해 모두 이런 저런 이유로 독립선언서 서명을 거절했다. 국내 원로들은 3·1운동이 일어나기까지는 모두 민족 독립 대열의 선봉이 되기를 고사했다.(차문섭, 〈3·1운동을 전후한 수작자와 친일한인의 동향〉, 《3·1운동 70주년 기념 논집》) 사회적 존경을 받는 원로들의 예상치 못한 반응에 실무자들이 망연자실해하자, 손병희가 이완용까지 직접 만났던 것이다.

1919년 2월 4~5일경. 중앙학교 숙직실에 핵심 멤버 4명이 다시 모였다. 분위기는 침통했다. 최린이 비장하게 말했다.

"그 사람들은 이미 노후(老朽)한 인물들이오. 독립운동은 민족의 제전이오. 신성한 제수(祭需)에는 늙은 소보다도 어린 양이 더 좋을 것이외다. 차라리 깨끗한 우리가 민족운동의 제물이 되면 어떻소."(의암손병희선생기념사업회, 《의암 손병희 선생 전기》)

최린은 민족대표를 사회 원로들 가운데 찾을 게 아니라 손병희를 독립운동의 영도자로 받들고, 젊은 실무진이 모두 민족대표로 참가하자고 제안했다. 최린은 중앙학교 교장 송진우에게 함께 교육계 대표자로 나서자고 했고, 도쿄 유학 시절 〈대한유학생회보〉를 발간하면서 인연을 맺어온 최남선에게는 청년계 대표로 나서 달라고 말했다.

　　그런데 최남선은 "가업(家業) 관계로 직접 참가할 수는 없다"고 딱 부러지게 거절했다. 최남선의 예상치 못한 발언에 송진우와 최린 등은 당황했다. 최남선은 독립선언서를 쓰는 것은 자신이 하겠지만, 민족대표로 자신의 이름이 오르는 것에는 반대한다고 말했다.(현상윤, 〈3·1운동 발발의 개략〉) 최남선은 민족의 독립이라는 주의(主義)에는 찬동하나, 정치적 운동의 희생양이 되기를 원치 않았다.(최남선에 대한 지방법원 예심 신문조서, 1919년 5월 19일)

　　최린이 불쾌한 표정을 감추지 못하고 말했다.

　　"최 선생(최남선)이 운동에 적극 참가 안 해주신다면 나도 참가할 수 없는 일이오. 또 최 선생이나 송 선생(송진우)의 말씀과 같이 민족운동은 천도교만으로는 진행시킬 수도 없으니 차라리 이 운동을 중지합시다."(의암손병희선생기념사업회, 《의암 손병희 선생 전기》)

거족적인 독립운동의 촛불이 꺼져갔다. 최린은 "지금까지 논의해온 일은 이 자리에서 전부 취소하고 피차간에 아무 책임도 없기로 하자"며 자리를 박차고 일어났다.

사태는 걷잡을 수 없이 번져갔다. 최남선은 일본 유학생 출신인 정노식을 통해 2·8독립선언서 초안을 국내에 들고 왔던 도쿄유학생 송계백에게 전보(2월 6일자)를 치게 했다. 도쿄의 2월 8일 거사를 일단 중지하고, 시기를 보아 국내와 호응해 운동을 동시에 전개하자고 통보하는 내용이었다.

그런데 어찌 된 일인지, 경성우편국에서 타전한 전보는 차출인의 이름이 불명(不明)으로 처리돼 송계백에게 전달되지 못했다.(정노식에 대한 경찰신문조서, 1919년 4월 19일) 2월 8일 도쿄에서의 독립운동도 하마터면 무위로 돌아갈 뻔한 '사건'이었다.

3교 합작의 시작

모든 게 백지로 돌아간 지 며칠이 지났다. 도쿄에서 "2·8에 판다"는 암호 전보가 날아왔다. 국내 사정을 전혀 모른 채, 도쿄 유학생들이 2월 8일에 독립선언서를 선포한 것이다.

우려한 대로 국내에서도 일제의 경계가 강화되기 시작했다. 그러나 모처럼의 독립운동 호기를 더 이상 모른 체할 수도, 지체할 수도 없었다. 중앙학교 교사 현상윤이 다시 삼각정에 있는 최남선의 집을 찾았다. 현상윤은 새로운 대안을 제시했다.

"천도교와 기독교를 연결시키는 것이 어떻겠소?"(현상윤, 〈3·1운동 발발의 개략〉)

최남선도 마냥 넋 놓고 있지만은 않았다. 독립선언서 초안은 이미 완성돼 있었다. 그는 대표자 서명 없이 '한족대표(韓族代表)'라는 두루뭉술한 이름으로 독립선언서를 해외 각국에 보내려고 하던 참이었다. 최남선은 현상윤의 제안에 "좋소. 그리합시다" 하고 대답했다. 꺼질 뻔했던 독립운동의 촛불이 다시 밝혀지기 시작했다. 기독교와의 연결은 최남선이 주선키로 했다.

2월 11일, 북촌 김사용의 집(인촌 별택)에 검정 두루마기를 걸친 촌로 한 사람이 바쁜 걸음으로 찾아왔다. 평북 정주의 오산학교 설립자인 남강 이승훈(1864~1930)이었다. 최남선이 독립운동을 함께할 유력 인물로 지목한 기독교 측 인사였다. 실제로 이승훈은 관서(關西) 지역 기독교계에 큰 영향력을 행사하고 있었다.

김성수와 송진우, 현상윤이 자리를 함께했다. 최남선은 일제의 주목을 피하기 위해 나타나지 않았다. 중앙학교 팀은 그동안의 계획과 천도교의 동향을 설명한 뒤, 기독교 측의 참가를 요청했다. 이승훈은 천도교와의 합동 거사를 즉석에서 수락했다.(인촌기념회,《인촌 김성수전》)

이승훈은 이미 상하이와 도쿄, 미국에서의 독립운동 움직임을 파악하고 있던 터였다. 2월 초, 상하이의 동제사 요원 선우혁을 만나 해외 독립운동 계획을 상세히 들었고, 국내에서의 지원을 요청받았다. 이승훈은 선우혁에게 집안의 논을 팔아 거사 자금으로 보태며 눈물의 기도까지 드렸다.

"어떻게 하시렵니까. 이 불쌍한 백성에게 독립을 허하시렵니까, 허하지 않으시렵니까. 이번 기회에 어떻게 하시렵니까."(김기석,《위대한 한국인, 남강 이승훈》)

자나 깨나 민족의 독립을 꿈꾸던 이승훈의 시원시원한 화답에 인촌은 운동 자금 제공으로 응원했다. 이승훈과 동향인 오산학교 출신 김도태는 "이승훈 씨의 관서 방면 공작비로 김성수 씨가 2천 원인지, 3천 원인지를 내놓았다"고 증언했다.(《동아일보》 1949년 3월 1일자) 당시 쌀 한 가마 값이 3원가량이었으므로 3천 원은 쌀 1천 가마에 해당하는 거액이었다.

3 · 1운동 당시 천도교 지휘부였던 중앙총부(서울 북촌 송현동). (사진 제공: 이동초)

이승훈은 그날 저녁 바로 관서 지방으로 떠났다. 이승훈의 행보는 질풍노도와 같았다. 평안 남북도를 오가며 기독교 장로파의 길선주, 양전백, 이명룡, 유여대, 김병조 및 감리파의 신홍식 등과 만나 민족대표자 서명을 약속받았다. 이승훈은 이들의 인장(印章)을 가지고 신홍식과 동반해 다시 경성으로 돌아왔다.(현상윤, 〈3·1운동 발발의 개략〉)

그러나 이승훈의 발빠른 행보와 달리 기독교와 천도교의 연계는 계속 지연됐다. 천도교 측과의 만남을 주선하겠다던 최남선과 송진우 등의 태도가 애매모호했다. 이승훈으로서는 천도교가 거사 직전에 꽁무니를 빼는 것 아니냐는 의심까지 들 정도였다.

물론 사정은 있었다. 도쿄의 2·8독립선언으로 일제의 경계가 강화돼 연락이 쉽지 않은 데다, 최린과 최남선 등 실무진이 미련을 버리지 못하고 계속 구한국 원로들을 설득하느라 시간을 끌고 있었기 때문이다. 이 사정을 알 리 없던 이승훈은 기독교 단독으로 독립운동을 전개하기로 결심했다.

2월 20일, 최남선은 이승훈이 머물고 있던 종로 소격동으로 찾아갔다. 그리고 마침내 21일 최남선이 이승훈을 이끌고 북촌 재동의 최린을 만나 회견케 했다. 이승훈이 천도교의 대외 창구인 최린에게 단도직입적으로 말했다.

"천도교 태도가 흔들리는 것이 아니오? 기독교만으로 독립운동을 단독으로 결행할 것이오." (김기석, 《위대한 한국인, 남강 이승훈》)

최린은 원래 계획대로 천도교와 기독교 합동으로 일을 추진하자고 이승훈을 달래듯 말했다.

"독립운동은 민족 전체에 관한 문제인 만큼 종교의 이동(異同)을 불문하고 합동하여 추진합시다." (현상윤, 〈3·1운동 발발의 개략〉)

이에 이승훈이 운동 자금으로 5천 원 정도가 필요하니 천도교 측에서 조달해달라고 하자 최린이 승낙했다.

사흘 뒤인 24일, 이승훈은 함태영과 함께 기독교 공식 대표 자격으로 천도교 중앙총부(현 덕성여중 자리)의 손병희를 방문하고 독립운동 일원화를 확정했다. 그 전날 천도교 측은 최린을 통해 이미 운동 자금 5천 원을 이승훈에게 전달했다.

천도교 측과 기독교 측의 합작 교섭이 마무리되자 일이 일사천리로 전개됐다. 최린은 이어 계동 43번지에 있는 만해 한용운의 거처로 찾아갔다. 최린과 한용운은 일본 유학 시절부터 교류하던 친구 사이였다. 한용운은 일찌감치 독립운동의 필요성을 언급하며 신도 수가 많은 천도교를 중심으로 운동을 벌여야 한다고 주

한용운이 조선 총독부 청사 방향을 피해 동북향으로 지은 심우장. (사진 제공: 문화재청)

장한 승려였다.(1919년 3월 1일 한용운 경찰신문조서 제1회,《한용운 전
집》) 최린이 한용운에게 불교계의 민족대표로 참여해달라고 제의
하자 그는 즉시 수락했다. 한용운의 권유로 승려 백용성도 동참
했다.

　우여곡절 끝에 천도교계와 기독교계, 불교계 지도자들로 이루
어진 민족대표의 골격이 비로소 완성됐다. '민족 독립'이라는 이
름 아래 세계 역사상 초유의 이종교(異宗敎) 연대 운동이 한반도
에서 성사된 순간이었다.

"이거 죽는 순서야"

3·1운동 이틀 전인 1919년 2월 27일 오후 1시, 경성의 정동교회에서는 3·1운동의 기독교 측 대표자들 사이에 소란이 일었다. 천도교 측 최린으로부터 받아온 독립선언서와 독립청원서 등의 문안을 돌려보고, 그 내용과 취지가 대체로 잘되었다고 평가하는 것까지는 좋았다. 문제는 민족대표로 서명 날인하는 과정에서 선언서에 서명할 순서를 정하는 데서 시작되었다. 보다 못한 이승훈이 큰 소리로 말했다.

"순서가 무슨 순서야. 이거 죽는 순서야, 죽는 순서. 누굴 먼저 쓰면 어때. 손병희를 먼저 써." (김기석, 《위대한 한국인, 남강 이승훈》)

'죽는 순서'라는 이승훈의 말 한마디에 참석자들은 곧 조용해졌다. 이에 따라 독립선언서에 서명할 민족대표 33인의 순서가 정해졌다. 천도교 지도자 손병희를 선두로 하고, 기독교 장로파 목사인 길선주, 기독교 감리파 목사인 이필주, 불교 승려인 백용성의 순서로 이어졌다. 나머지는 가나다순으로 명기했다.

3·1운동에서 기독교와 천도교와의 연합을 이끌어낸 데는 이승훈과 함태영의 역할이 적지 않았다. 당시 국내에 파견된 일부 서

양인 선교사들은 정교분리 원칙을 내세우며 3·1운동의 기독교인 참여를 찬성하지 않았다. 새문안교회 당회장인 쿤스는 교인들에게 "독립운동은 생각지도 말라"고 역설했고, 감리교 감독 웰치는 "교회 건물에서 독립 시위를 한 것은 잘못"이라고 말했다.

일부 한국인 교인들도 마찬가지였다. 구한국 원로이자 기독교도인 윤치호는 3·1운동 다음 날인 3월 2일 일본 오사카 〈매일신문〉과 한 인터뷰에서 3·1운동을 반대하는 이유 중 하나로 "천도교의 음모에 속지 말아야 한다"는 점을 들었다. 또 이화여교 교사이자 안동교회 교인이었던 김창제는 기독교 목사들이 천도교 인

3·1운동의 민족대표로 나서기로 한 기독교 지도자들이 회합했던 서울 정동교회.

사들과 제휴한 것을 두고 죄악이라고 규정했다.(유경재 안동교회 원로목사, 〈삼일운동과 한국교회〉, 2018년 2월 28일 발표)

이런 분위기에서도 각 종교계 지도자들은 교리적 모순을 뛰어넘어 함께 독립선언서를 작성·배포하고 3·1운동 전면에 나섰던 것이다.

제7장 〈풍전등화〉 관련 주요 인물

이름	생년	출신지	주요 활동
이승훈	1864	평북 정주	안창호가 조직한 비밀 결사 신민회 간부로 활동했다. 1907년 민족교육운동을 목적으로 오산학교를 설립해 교장으로 활동했고, 1911년에는 일제가 조작한 '105인 사건'으로 옥고를 치렀다. 3·1운동에서 민족대표 33인 중 기독교 대표로 참여했고, 1924년 동아일보사 제4대 사장을 지냈다.
함태영	1873	함북 무산	대한제국 시기 법관으로 활동하다가 1910년 국권 피탈 후 법복을 벗었다. 3·1운동에 기독교 감리파를 참여시키는 데 주도적 역할을 했다. 광복 후 대한독립촉성국민회 고문을 거쳐 1952년 대한민국 제3대 부통령에 당선됐다.

제8장

천운

서슬 퍼런 감시망과 위험천만한 모험

1919년 3·1운동 거사 이틀 전인 2월 27일 밤, 경성 보성학교 교내에 자리 잡은 인쇄소 보성사. 30평 남짓한 규모의 푸른색 벽돌 2층 건물에 밤늦게까지 불이 밝혀졌다. 비밀 항일결사체인 천도구국단 요원들의 손놀림이 분주했다.

천도구국단장이자 보성사 사장인 이종일의 지휘 아래 부단장 김홍규(보성사 공장감독), 총무 장효근, 직공 신영구 등 단원들이 3·1독립선언서를 신속하게 찍어내고 있었다. 비상시를 대비해 보성사 비밀 창고에는 장총 10여 정과 수백 발의 실탄도 은닉돼 있었다. 보성사는 인쇄소이자 독립운동 조직의 아지트였다.(이종일, 《묵암비망록》)

대량의 선언서를 인쇄하는 만큼 극도의 보안이 필요했다. 선언서 한 장이라도 사전에 발각되면 독립운동 자체가 무위로 돌아가는 탓에 현장 분위기는 살얼음판이었다. 일본 경찰의 요시찰 대

보성사 터에 세워진 이종일 동상.

상인 이종일은 미리 자신의 씨족인 성주이씨 족보를 만드는 것처럼 위장막을 쳐놓았다. 실제 전국 각지에 흩어져 살고 있던 성주이씨들은 족보를 새로 만든다는 소식에 집안의 가계보(家系譜)를 들고서는 보성사 문턱을 분주히 넘나들었다. 이종일은 족보를 만드는 틈을 타 감시의 눈을 피하면서 독립선언서를 인쇄할 수 있었다.(이종일의 손녀 이장옥의 생전 회고와《묵암비망록》)

천도교가 운영하는 보성사는 최남선이 경영하는 신문관과 함께 한국의 출판인쇄문화를 대표했다. 독립선언서를 제작하는 일도 두 인쇄소가 분담했다. 신문관에서는 활자로 인쇄판을 짜는 조판 작업을 담당했고, 보성사는 조판된 독립선언서를 종이로 찍어냈다.

독립선언서는 두 차례에 걸쳐 인쇄됐다. 1차로 2월 20일부터 서서히 인쇄에 들어가 25일에는 이미 2만 5천 장을 찍어놓은 상태였다. 이 인쇄물은 신축 중인 천도교중앙대교당(종로구 경운동) 내 이종일의 임시 거처로 옮겨진 후, 수천 장 단위로 묶여 천도교 지방 교구에 우선적으로 배포됐다. 3월 1일 서울과 지방에서 동시에 독립 만세를 외치도록 하기 위한 사전 조치였다.(이종일,《묵암비망록》) 실제로 3·1운동이 서울 탑동공원(지금의 탑골공원, 종로2가 소재)에서 시작될 때 평양과 의주, 선천, 원산 등지에서도 같은 날 독립선언서가 뿌려지고 만세운동이 전개됐다. 3·1운동 당시 이종일과 함께 생활했던 손녀 이장옥(당시 16세, 1994년 작고)은 이렇게 회고했다.

"보성사로부터 은밀히 운반된 독립선언문 인쇄물이 집 안에 산더미처럼 쌓였는데, 그때부터 여러 사람들이 드나들며 할아버지(이종일)로부터 몇백 장 혹은 몇천 장씩 선언문을 받아 가지고 나갔다. 할아버지가 안 계실 때는 내가 책임지고 독립선언문을 내주었다. 그때 어린 마음에도 우리나라는 반드시 독립될 것이라고 믿었다. 집에 드나드는 청년들의 얼굴에서 그것을 읽을 수 있었다."

그렇게 1차 인쇄한 독립선언서가 동이 날 무렵인 27일, 이종일은 천도교 지도자 손병희와 협의해 긴급히 1만 장을 추가로 찍어 내는 작업에 들어갔다.(천도교중앙총부 교서편찬위원회, 《천도교약사》)

한편으로는 법원과 경찰에서의 이종일 신문조서 등을 근거로 2월 27일 밤 11시 무렵에 모두 2만 1천 장의 독립선언서가 한 번에 인쇄됐다는 주장도 제기되고 있다. 27일 밤에 인쇄된 독립선언서가 28일 하루 사이에 평안도와 황해도 등 경성과 멀리 떨어진 천도교 지방 교구까지 전달되고, 이튿날인 3월 1일 경성의 만세운동과 맞추어 대중에게 배포됐다는 것이다.

27일 밤에 완성된 최종본 독립선언서가 3월 1일의 만세 현장에 사용됐다고 해도, 33인의 민족대표자 성명이 확정되기 전에 독립선언서가 여러 차례에 걸쳐 사전 인쇄돼 배포됐을 정황은 또 있다. 이장옥이 생전에 남긴 증언을 기억하고 있는 유족(이장옥의 3남)은 이렇게 말했다.

"어머니(이장옥)는 경운동으로 옮겨진 독립선언서를 보관하면서, 할아버지(이종일)로부터 '독립선언서에서 오자가 발견돼 고쳤다'는 말을 직접 들었다고 하셨다. 처음 찍어낸 독립선언서에서 오류가 발견됐는데, 최남선이 비밀리에 채자(採字) 작업을 서두느라 국호인 '조선(朝鮮)'이 '선조(鮮朝)'로 거꾸로 조판된 채 인쇄됐다는 것이다. 어머니는 수정 전과 후의 독립선언서를 모두 간직하고 있었는데 6·25전쟁 통에 잃어버려 무척 안타까워하셨다."

현재 천안 독립기념관에 보관된 3·1독립선언서는 1차로 찍어냈을 때의 바로 그 원문이다. 첫 문장은 이렇게 표기돼 있다.

吾等(오등)은 玆(자)에 我(아) 鮮朝(선조)의 獨立國(독립국)임과 朝鮮人(조선인)의 自主民(자주민)임을 宣言(선언)하노라.

이런 실수에도 불구하고 독립선언서 문장은 대한민국 초대 대통령 이승만이 "미국의 독립선언서보다 더 잘 지었다"라고 격찬할 정도로 명문이었다. '此(차)로서 世界萬邦(세계만방)에 告(고)하야 人類平等(인류평등)의 大義(대의)를 克明(극명)하며 此(차)로서 子孫萬代(자손만대)에 誥(고)하야 民族自存(민족자존)의 政權(정권)을 永有(영유)케 하노라'로 이어지는 선언서는 민족 정기를 드높인 명문장으로 당시 많은 한국인의 심금을 울렸다. 독립선언서를 읽어본 사람들은 "육당(최남선)을 다시 보아야겠다"며 칭찬했다. (유광렬, '나의 이력서', 〈한국일보〉 1974년 3월 5일자)

두 차례의 발각 위험을 넘기다

꼬리가 길면 밟힌다고 했던가. 이종일의 은밀한 조치에도 불구하고 독립선언서가 발각되어 3·1운동이 무산될 뻔하기도 했다. 28일로 날짜가 바뀌기 직전인 늦은 밤, 인적이 드문 곳에서 돌아가는 인쇄기 소리는 유난히 컸다. 보성사를 관할하는 종로경찰서의 한국인 형사 신철(다른 이름은 신승희)이 근처를 지나다가 창문까지 굳게 닫힌 인쇄소 안에서 울려나오는 기계 소리를 들었다.

수많은 애국지사들을 붙잡아 감옥에 보낸 악질 형사로 소문난 신철은 낌새를 챘다.

신철은 곧장 인쇄소 안으로 들이닥쳤다. 족보를 찍는 중이라는 이종일의 변명을 들을 새 없이 그의 손에는 독립선언서가 쥐어졌다. 선언서를 읽어보는 신철의 손조차 떨렸다. 상황을 파악한 그에게 6척 장신의 이종일이 그대로 무릎을 털썩 꿇었다.

> "이것만은 안 되오. 이 일은 멈출 수 없는 일이오. 하루만 봐
> 주시오. 의암 선생님(손병희)한테 갑시다." [《천도교약사》, 《묵암비망록》,
> 이종일을 '이달의 독립운동가'로 선정한 보훈처 발표(1995년 3월 1일) 참고]

이종일이 애원했다. 뜻밖에도 신철은 "나는 여기 있을 터이니 당신이 갔다 오시오" 하고 말했다. 이종일은 손병희가 머물고 있는 가회동 집으로 쏜살같이 달려가 위급을 고했다. 사태를 파악한 손병희는 선뜻 5천 원의 거금을 신문지에 싸서 내주었다. 평생 떵떵거리고 살 수 있는 돈을 받아 쥔 신철은 아무에게도 말하지 말라면서 겸연쩍게 웃더니 사라졌다. 그의 웃음에는 일말의 민족적 양심이 담겨 있는 듯도 했다.

그렇게 간신히 위기를 넘긴 이종일은 인쇄를 마친 뒤 이병헌과 신숙, 인종익 등을 시켜 독립선언서를 자신의 임시 숙소로 재빨

리 옮기도록 했다. 수송동의 보성사에서 직선거리로 400미터 떨어진 경운동 천도교중앙대교당으로 가려면 파출소 앞을 지나쳐야 했다. 이들은 손수레 깊숙한 곳에 독립선언서를 감추고 그 위로는 성주이씨 족보를 덮어 위장했다.

으슥한 밤길에 손수레에 싣고 가는 물건은 금세 일본 경찰의 눈에 띄었다. 불심검문을 당하면서 또다시 위기가 찾아왔다. 일본 경찰은 성주이씨 족보라는 말에도 불구하고 손수레에 실린 종이 뭉치를 죄다 검색하려고 했다. 족보를 다 들어내고 마지막으로 독립선언서가 나오려는 순간, 일대에 갑자기 정전이 발생했다. 가로등의 불빛마저 꺼져버렸다. 일본 경찰이 등잔을 가지러 파출소 안으로 들어갔다. 바로 그때 파출소 상급자가 귀찮은 듯 "그만두라"고 지시했다. 가까스로 위기를 넘긴 것이다. 경운동 숙소로 들어오는 이종일은 온몸이 땀으로 범벅돼 있었다. 긴장해서 흘린 식은땀이었다. 이종일은 그를 맞이하는 손녀 이장옥에게 "큰일 날 뻔했다"고 말했다.

한편 고등계 형사 신철은 이후 들통날 것을 우려해 동거녀까지 내팽개치고 만주로 도주했다가 1919년 5월 일제 헌병대에 체포됐다. 한때 신철이 경성으로 압송돼 오다가 개성역 인근을 지나던 기차에서 뛰어내려 자살했다, 경성 남대문역에서 내리다 체포돼 유치장에서 자살했다, 혹은 그곳에서 고문을 받다 죽었다는 소문이 나돌았다.

3·1운동의 준비 과정은 서슬 퍼런 일제의 감시망 속에서 숱한 발각 위험을 기적처럼 피해간 모험이었다. 3·1운동 모의부터 깊숙이 관여했던 중앙학교 교사 현상윤은 3·1운동에 대해 "소름 돋을 만큼 계획이 소루(疏漏)하고 개방적이었다"고 회고했다.(현상윤, '3·1운동의 의의', 〈동아일보〉 1948년 2월 29일자)

독립선언서를 발표하기 수일 전부터 인쇄한 선언서를 수백 장 수천 장 단위로 국내 각지로 발송하고, 서울에서는 각 학교 남녀 대표자들을 불러놓고 수십 장씩 선언서를 분배하고, 3월 1일 행할 시위 운동의 노선 순서와 담당 부서를 정하고, 또 각 학교 대표들이 자기 학교에 돌아가 각 반 대표들에게 동일한 지시를 하는 과정에서 의아할 정도로 아무 탈 없이 진행됐다는 것이다.

또 다른 민족대표인 김도태 역시 "완전한 모험이었다"고 회고하면서 "전국적이고도 거족적인 대과업의 비밀이 끝까지 누설되지 않고 완수되었다는 것은 우리 민족이 얼마나 애국정신에 불타고 있었는지 증명하는 좋은 재료가 된다"고 말했다.(〈동아일보〉 1949년 3월 1일자)

이종일이 만든 최초의 지하신문
〈조선독립신문〉

1919년 3월 1일 경성의 독립운동 현장에는 독립선언서와 함께 또 다른 유인물이 등장했다. '조선독립신문'이란 제호가 새겨진 일반 신문의 호외판 크기 신문이었다. 1910년 일제 강점 이후 총독부의 허가를 받지 않은 최초의 지하신문이자 민족 언론이었다.

〈조선독립신문〉의 창간을 주도한 사람은 이종일이었다. 〈제국신문〉을 경영한 언론인 출신인 그는 보성사에서 독립선언서를 찍어내는 한편, 비밀리에 〈조선독립신문〉 1만 부를 따로 발행했다. 자신은 33인의 민족대표로 체포돼 수감될 것이기 때문에 보성상업전문학교 교장 윤익선을 신문사 사장으로 내세웠다.(윤익선에 대한 1차 경찰신문조서)

　'조선건국(朝鮮建國) 4252년 3월 1일'자로 창간된 이 신문은 독립선언의 취지를 전 민족에 알리고, 3·1운동의 전개 상황을 신속 보도하는 등 독립운동을 전국에 확산하려는 목적으로 배포됐다. 3월 1일 당일 탑동공원에서 약 4천 부가 뿌려졌고, 천도교 청년들과 각 학교 학생들을 통해 일반 가정에도 배달됐다. 신문은 주로 구금된 민족대표자들의 소식, 전국에 걸쳐 일어난 독립운동 상황, 운동을 지지하는 해외 소식, 일본 경찰의 잔인한 행패 등을 게재했다. 제2호(3월 2일자)에서는 "근일(近日) 중에 가정부(假政府, 임시정부)를 조직하고 가대통령(임시 대통령) 선거를 할 것"이라는 놀라운 소식도 전했다. 신문은 일제의 그악스러운 탄압 속에서도 그해 4월 말 27호를 발간하는 저력까지 보여주었다. 5월 이후 8월 사이에도 발행인을 밝히지 않는 등 부정기적으로 10호를 추가 발행했다.

민족언론의 효시라고 할 수 있는 〈조선독립신문〉 출현을 계기로 국내외 곳곳에서 여러 지하신문이 등장했다. 그해, 중국 상하이에서는 이광수가 8월 21일 사장을 맡아 〈독립신문〉을 창간했고, 10월 28일에는 신채호가 주도한 〈신대한〉이 창간됐다. 이들 신문도 국내로 유입됐다.

총독부 기관지 역할을 한 〈매일신보〉 외에 일체의 신문 발행을 원천 봉쇄해왔던 일제는 지하신문을 억누르려 했지만 곧 한계에 부딪혔다. 결국 이른바 문화정치를 표방하는 쪽으로 방향을 튼 일제 총독부는 신문 발행을 허가할 수밖에 없었다. 3·1운동 이듬해인 1920년 4월 1일 〈동아일보〉가 창간된 배경이다.

사라진 보성사와 이어지는 독립운동

한편 일제는 3·1운동 후 '악질적인 항일 행위자'로 지목한 이종일을 가혹하게 다루었고 독립선언서를 찍어낸 보성사를 즉각 폐쇄했다. 나중에는 일제의 소행으로 추정되는 방화로 인해 보성사가 완전히 소실돼버렸다.

그러나 이종일은 꺾이지 않았다. 1921년 12월에 3년간의 형을 치르고 출옥하자마자 천도구국단 동지들과 함께 다시 제2의 독립 만세 운동을 계획했다. 이듬해인 1922년 2월에는 스스로 '자주독립선언문'을 작성해 3·1운동 3주년이 되는 1922년 3월 1일에 거사를 행하기로 계획했다가 일제에 발각되고 말았다.

이종일은 다시 외부와 격리된 채 일제의 극심한 통제를 받았다. 그는 밤낮으로 일본 경찰이 감시하는 상태에서 오막살이(당시 죽첨정 1정목 31, 현 강북삼성병원 터)에서 일기를 쓰다가 숨진 채 발견됐다. 1925년 8월 31일의 일이었다. 이튿날(9월 1일) 〈동아일보〉는 68세의 나이로 서거한 이종일에 대해 '기미운동(己未運動)의 선구(先驅) 이종일 씨 장서(長逝)'라는 큰 제목으로 기사를 싣고 "영양 부족으로 작일(昨日) 정오에 서거했다"라고 보도했다. 당시 이종일의 친척 이종린은 〈동아일보〉와의 인터뷰에서 "그가 지금까지 해온 일을 보면 자기 일신을 위한 것이 한 가지도 없고 국가 사회와 민족을 위하여 일해왔다"면서 "영양 부족으로 그가 죽었다는 소문을 듣는 조선 사람의 생각이 어떠할는지요? 장사 지낼 비용도 한 푼 없습니다"라고 안타까워했다.

3·1운동 이후 이종일의 손녀도 무사하지 못했다. 이장옥은 독립선언서 배포에 주동적으로 참여했다는 이유로 일본 경찰에게

이종일 선생의 손녀인 이장옥 여사(가운데)가 할아버지의 독립운동을 증언하는 모습. (사진 제공: 묵암기념회사업회)

붙들려가 5개월간 호된 조사를 받았다. 그런데 이장옥이 키가 작은 데다 실제 나이(16세)와는 달리 호적 기록으로는 13세의 미성년자여서 범죄가 성립되지 않았다. 이장옥은 광복 이후 독립운동 유공자로 훈포장을 받을 수 있었지만 "할아버지(이종일)를 욕되게 해서는 안 된다"며 스스로 사양했다.

제 9 장

남산의 오포(午砲)

만세의 함성이 울려퍼지다

기미년 3월 1일 토요일, 그날이 밝았다. 날씨는 따뜻하고 청명했다. 33인의 민족대표는 '먼 길'을 떠날 채비를 했다. 천도교 지도자 손병희는 하루 전인 2월 28일 종단을 이끌 후계자를 정한 유시문(諭示文)을 발표한 데 이어, 이른 새벽 천도교 청년들을 소집해 마지막 훈시를 했다.

"나는 지금 독립의 종자(種子)를 심으러 간다. 너희들은 3개 원칙(비폭력, 대중화, 일원화)을 끝까지 지켜라. 오늘의 동지가 내일 배신해 해를 끼칠 자도 있으니 매사를 성실히 참고 견뎌라. 우리 국권 회복에 대해서는 차후 세계지도의 색채가 바뀔 때 각 열국에서 우리나라의 독립을 성취시킬 날이 올 것이다. " (이병헌, 〈내가 본 3·1운동의 일단면〉, 《3·1운동 50주년 기념 논집》)

기독교 감리파 대표 이필주(1869~1942)도 덕수궁 옆 정동교회 사택에서 영문도 모르는 식구들을 위해 마지막 가족 예배를 올렸다. 서울 중앙교회 전도사인 청년 김창준(1890~1959) 역시 거사의 길을 나섰다. 결혼한 지 1년밖에 안 되는 어린 아내와 노부모의 생계가 걱정됐지만 '가정보다는 조국'이라는 불타는 애국심이 먼저였다.(숭실대학교 한국기독교박물관,〈김창준 회고록〉,《기독교민족사회주의자 김창준 유고》) 이들 민족대표는 가족이 일제의 보복을 당할까 봐 3·1운동 참여에 관해서는 입도 벙긋하지 않았다.

　독립선언서를 찍어낸 보성사 사장 이종일은 새벽에 저절로 눈이 떠지자 잠이 오지 않았다. 그대로 일어나 오늘의 거사가 반드시 성공하기를 두 손 모아 빌었다. 이종일은 이번 거사를 치르면 결코 집으로 돌아오지 못할 거라고 생각했다. 홀로 남겨질 어린 손녀(이장옥) 생각에 가슴이 아려왔다. 그러나 손병희 성사(聖師)가 전날 민족대표들과 최종 회합하며 "민족대표들의 가족 생활비로 1인당 매월 10원씩 지불할 것"이라고 약속한 말로 위안을 삼았다.(이종일,《묵암비망록》)

　종로구 경운동에서 이종일이 기도를 올리던 그 시각, 인근 북촌 계동의 중앙학교 운동장 바닥은 하얗게 변해 있었다. 여기저기 전단이 점점이 흩어져 있어서였다. 아침 일찍 등교하던 학생들은 전단을 한 장씩 주워보고는 이연 긴장했다. 조선의 독립을 선포하는 독립선언서였던 것이다.

그때 교장 송진우가 숙직실에서 내려와 학생들이 서성대는 곳에 다가왔다. 그는 전단 한 장을 주워 보더니만 빙그레 웃으면서 "너희들 공부 잘하라" 하는 말을 남기고는 의기양양하게 넓은 운동장을 횡단해서는 쏜살같이 사무실로 들어갔다.(이숙, 《죽사회고록》)

송진우는 독립선언서를 처음 보는 척 시치미를 뗐으나, 이숙 등 중앙학교 학생대표들은 독립운동에 깊숙이 개입한 '교장 선생님'의 사정을 이미 알고 있었다.

교장 송진우와 교사 현상윤은 진작 보성전문학교 졸업생 주익 등을 통해 경성 시내 전문학교 학생대표들을 중심으로 한 독립운동 행동대 조직 구축을 지도했다.(《고하 송진우 전기》·현상윤의 〈3·1운동 발발의 개략〉)

이들 학생조직은 후에 기독교 측에서 박희도와 이갑성 등이 가세해 중등학교 대표들까지 포함하는 조직으로 확대됐다. 전문학교와 중학교 학생대표들은 거사 하루 전인 2월 28일 승동교회 예배당에서 최종적으로 독립선언서 살포와 거리 시위 등을 계획했다. 이에 따라 3월 1일 새벽 경성에서는 중앙학교뿐 아니라 10여 개의 공·사립중학교와 네댓의 전문학교 등지에 격문(檄文)과 함께 독립선언서가 뿌려졌다.

이날 오전, 중앙학교 학생들은 평상시와 같이 수업을 했다. 상급생들은 오전 수업을 듣는 둥 마는 둥 술렁거렸고, 하급생들은 영문을 모른 채 수업을 받고 있었다. 이윽고 현상윤이 가르치는 수업시간이 되었다. 그런데 현상윤은 수업 내용과 관계가 없는 제1차 세계대전과 파리강화회의 전망, 민족자결주의 등등의 얘기로 한 시간을 채웠다. 그는 수업을 마치면서 영어로 "굿 찬스, 굿 찬스(good chance, 좋은 기회)"라고 하면서 의미심장한 힌트를 주었다.(이희승, 〈내가 겪은 3·1운동〉, 《3·1운동 50주년 기념 논집》)

팔각정과 태화관을 선택한 이유

독립운동의 '굿 찬스' 시각이 코앞으로 다가왔다. 독립선언서 배포와 군중을 동원하는 행동대 역할을 하기로 한 학생대표들은 각기 맡은 반의 급장을 통해 탑동공원(탑골공원)으로 집결하도록 밀통했다. 낮 12시 정오를 알리는 남산의 오포(午砲) 소리가 집결 신호였다.

보안을 철저히 했던 때문일까. 경성 시내는 평소처럼 조용했다. 폭풍 전야의 고요함 같았다. 이윽고 종로2가의 탑동공원은 꾸역꾸역 꼬리를 물고 이어지는 학생들로 삽시간에 가득 차기 시작

했다. 중앙학교는 상급생에서 하급생에서 이르기까지 모든 학생
이 거리로 뛰쳐나왔다. 학교가 텅 비는 바람에 이날로 예정된 졸
업식은 취소됐다.

탑동공원은 팔각정(육각당)을 중심으로 삼밭에 심 박히듯 학생
들이 빽빽하게 들어섰다. 1897년 조성된 탑동공원은 이전부터
크고 작은 집회와 행사가 열린 곳이자 경성을 찾는 외국인들이

3 · 1운동 직전에 촬영된 탑동공원(탑골공원)의 팔각정.

즐겨 찾는 명소였다.

한민족에게는 의미가 남다른 공간이기도 했다. 경기대 건축학과 안창모 교수에 따르면, 대한제국 시기인 1902년에 건축된 팔각정은 고종 황제가 천자국(天子國)임을 선포하는 제사를 지낸 환구단의 황궁우를 빼닮도록 지은 구조물이었다. 또 대한제국의 군악대가 공원 서편에, 대한자강회를 잇는 대한협회가 공원 동편에 자리 잡은 역사적 장소이기도 했다. 1969년 3월 발행된 한국은행권 오십 원 지폐 앞면에 팔각정 모습이 그려진 이유이기도 하다. 이처럼 탑동공원은 조선이 당당한 자주국임을 대내외에 알리는 선언의 장소로 안성맞춤이었던 것이다.

오후 1시 30분경. 약속 시각이 다 되어가는데도 민족대표인 듯한 사람들은 탑동공원에 나타나지 않았다. 원래 민족대표들은 오후 2시 탑동공원에 모여서 독립선언서를 낭독하며 선언식을 한 뒤 경찰에 연행되는 쪽으로 예정돼 있었다.

바로 그 시각, 민족대표들은 탑동공원이 아니라 그곳에서 직선거리로 불과 300여 미터 떨어진 태화관(서울 인사동)에 있었다. 28일 밤 민족대표들이 북촌 가회동의 손병희 집에 모여 얼굴을 익히는 상견례 겸 최종 계획을 점검하는 자리를 가졌는데, 이때 탑동공원의 흥분한 학생 및 군중과 일본 경찰의 충돌을 우려해 선언 장소를 변경했기 때문이다.(최린·권병덕 등 신문조서)

요릿집 태화관을 민족대표들의 회합 장소로 선택한 데도 까닭
이 있었다. 장안의 명물인 조선음식점 명월관의 지점인 태화관
은 원래 조선왕조의 순화궁(順和宮) 터였고, 이후 이완용이 별장
으로 사용하던 집이었다. 1905년 이완용과 이토 히로부미의 을
사늑약 밀의, 1907년 7월 고종 황제를 퇴위시키고 순종을 즉위케
한 음모, 1910년 강제병탄 조약 준비 등 대한제국을 능멸하고 없
애는 행위가 모두 이 집에서 벌어졌다. 바로 여기서 독립선언식

종로구 인사동의 조선요리점 태화관.

을 거행함으로써 매국적인 모든 조약을 무효화한다는 의지도 담겨 있었다.〔신석호, 〈(개설) 3·1운동의 전개〉,《3·1운동 70주년 기념 논집》〕

태화관 주인 안순환 역시 범상한 인물이 아니었다. 그는 원래 궁내부(宮內府) 주임관(奏任官) 및 전선사장(典膳司長), 즉 궁중 연회의 최고 주방장을 지냈다. 1910년 나라가 망하자 벼슬을 사퇴한 그는 명월관과 태화관을 차린 배일 사상가였다.(고하송진우선생전기편찬위원회,《독립을 향한 집념: 고하 송진우 전기》)

태화관 산정별실(山亭別室)에 자리 잡은 민족대표들은 긴장된 표정으로 이종일이 인쇄해 온 독립선언서 100여 장을 훑어보며 때를 기다리고 있었다. 민족대표 33인 가운데 29명이 자리에 참석해 있었다. 길선주, 유여대, 정춘수 등 기독교 측 민족대표 3인은 지방 행사에 갔다가 경성에 늦게 도착해 이날 태화관 모임에 참석하지 못했고, 김병조는 상하이로 건너가 불참했다.

이때 독립선언서에 첫 번째로 이름을 올린 손병희가 천도교 청년 이병헌을 불러 탑동공원으로 가서 학생들을 달래도록 당부했다. 이병헌은 태화관에서 탑동공원으로 부리나케 달려갔다 오더니 "전문학교 학생대표들이 흥분한 나머지 태화관으로 달려오고 있다"고 보고했다. 민족대표들이 요정에 앉아 있다는 말에 학생들이 격분했다는 것이다. 이윽고 강기덕(보성전문학교 대표) 등 학생대표들이 몰려왔다.

> "선생님들, 무슨 일로 공원에서 독립선언서를 선포한다고 해
> 놓으시고 이곳에 와 계십니까. 우리는 선생님들이 오시기를
> 고대했는데 이렇게 되니 일이 낭패를 본 것이 아닙니까. 이
> 중요한 시기에 말입니다. 지금 공원에는 수천 명의 남녀 학
> 생과 온 장안의 시민이 기대에 찬 눈으로 선생님들의 선도를
> 바라고 있습니다. 속히 그리로 가서서 민중시위운동을 인도
> 해주십시오."(이종일, 《묵암비망록》)

강기덕은 민족대표 중 한 사람이라도 탑동공원으로 가서 독립
선언서는 다른 곳에서 발표하게 됐다고 말해달라고 요청했다. 학
생들에게 탑동공원에서 독립선언서를 발표한다고 얘기해 모이게
했으니 약속을 지켜야 했다. 그러자 최린은 "사람이 많은 소란스
러운 곳에서만 하는 게 선언이 아니니 굳이 공원에 갈 필요는 없
다"고 말했고, 손병희는 "젊은이들이 완력으로 소요를 일으킨다
고 해서 일이 성사되는 것이 아니다"고 하면서 학생들을 간곡히
타일렀다. 이에 물러난 학생대표들은 학생들대로 따로 거사를 추
진키로 했다.

10년 만에 등장한 태극기

오후 2시. 간략하지만 장엄한 행사가 시작됐다. 일제의 잔인한 무단통치 10년 만에 숨죽여 지내오던 한민족이 세계만방에 자주 독립을 선언하는 엄숙한 시간이었다. 민족대표들은 태화관 남측의 정자(태화정) 동쪽 처마에 걸린 태극기를 향해 근엄한 자세로 경례했다. 역사적인 장소에서 역사적인 순간을 기념하기 위해 내건 깃발이었다. 한용운이 일어나서는 연설했다.

> "오늘 우리가 이렇게 모인 것은 조선의 독립을 선언하기 위한 것으로 자못 영광스러운 날이며, 우리는 민족대표로서 이와 같은 선언을 하게 되어 책임이 중하니, 금후 공동 협심하여 조선 독립을 기도하지 않으면 안 될 것입니다."

한용운이 신명을 바쳐 최후의 1인까지 독립 쟁취를 위해 투쟁하자는 취지로 인사말을 마치자 민족대표들은 "대한 독립 만세"를 삼창하고 축배를 들었다. 일제의 식민지가 된 지 10년 만에 한반도에서 처음으로 공포된 독립 선포였다.

그때 이미 일제의 정사복 경관과 헌병 수십 명이 태화관을 둘러싸고 있었다. 최린이 태화관 주인 안순환에게 일제 경무총감부에 미리 알리도록 말해두었던 것이다. 이윽고 일본 경찰이 몇 대의 인력거를 가지고 와서 민족대표들을 체포해 가려고 했다. 그러나 최린 등 민족대표들은 태연자약한 자세로 이들의 무례함을 꾸짖고 자동차를 가지고 오라고 호령했다.

민족대표들이 서너 명씩 자동차에 나누어 타고 남산 왜성대(현 예장동)의 경무총감부에 차례대로 끌려갈 무렵, 탑동공원 중앙단상에도 10년 동안 자취를 감추었던 태극기가 모습을 드러냈다.

두루마기를 입은 경신학교 졸업생 정재용이 팔각정 단상에서 독립선언서를 두 손으로 높이 들고 엄숙하면서도 떨리는 목청으로 읽어 내려갔다. 숨을 죽이고 듣던 학생들은 낭독이 끝나자마자 만세를 부르기 시작했다. "대한 독립 만세" "조선 독립 만세" "한국 독립 만세" 등 만세 명칭도 여러 가지였다. 감격에 겨운 만세 소리는 마치 우는 소리인 듯했다. 사람들 모두 목이 터져라 만세를 불렀다.

어떤 남학생들은 흥분해 "우와! 우와!" 고함을 지르며 주먹을 휘두르고 모자를 공중에 날렸다. 공중으로 날아오른 모자로 인해 하늘이 삽시간에 까마귀떼로 뒤덮인 듯했다. 군중 속에서도 "대한 독립 만세" 소리가 터져 나오면서 민중의 환호가 천지를 진동시켰다.

일본 경찰이 만세 소리를 듣고 현장에 출동했지만 이들을 막지

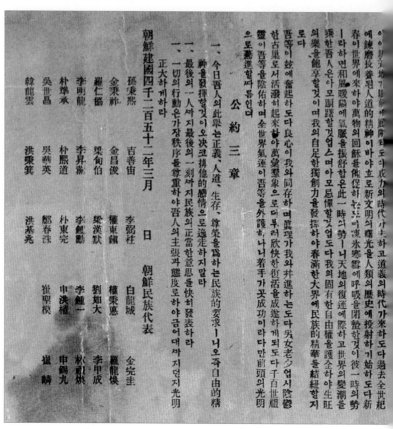

1919년 3월 1일 3 · 1 운동에 맞추어 민족대표 33인이 국내외에 선언한 3 · 1독립선언서.

는 못했다. 태화관에서 붙잡혀 가던 민족대표들도 군중의 만세 소리를 들었다. 나용환, 이갑성, 최린, 김창준 등은 체포돼 갈 때 지붕이 없는 무개차 위에서 군중에게 독립선언서를 수백 장씩 던져주었다. 거리에 있던 학생들은 민족대표들을 향해 목멘 소리로

宣言書

吾等은茲에我朝鮮의獨立國임과朝鮮人의自主民임을宣言하노라 此로써世界萬邦에告하야人類平等의大義를克明하며 此로써子孫萬代에誥하야民族自存의正權을永有케하노라

半萬年歷史의權威를仗하야此를宣言함이며 二千萬民衆의誠忠을合하야此를佈明함이며 民族의恒久如一한自由發展을爲하야此를主張함이며 人類的良心의發露에基因한世界改造의大機運에順應幷進하기爲하야此를提起함이니 是ㅣ天의明命이며 時代의大勢ㅣ며 全人類共存同生權의正當한發動이라 天下何物이던지此를沮止抑制치못할지니라

舊時代의遺物인侵略主義强權主義의犧牲을作하야 有史以來累千年에처음으로異民族箝制의痛苦를嘗한지今에十年을過한지라 我生存權의剝喪됨이무릇幾何ㅣ며 心靈上發展의障礙됨이무릇幾何ㅣ며 民族的尊榮의毀損됨이무릇幾何ㅣ며 新銳와獨創으로써世界文化의大潮流에寄與補裨할機緣을遺失함이무릇幾何ㅣ뇨

噫라舊來의抑鬱을宣暢하려하면 時下의苦痛을擺脫하려하면 將來의脅威를芟除하려하면 民族的良心과國家的廉義의壓縮銷殘을興奮伸張하려하면 各個人格의正當한發達을遂하려하면 可憐한子弟에게苦恥的財産을遺與치안이하려하면 子子孫孫의永久完全한慶福을導迎하려하면 最大急務가民族的獨立을確實케함이니 二千萬各個가人마다方寸의刃을懷하고 人類通性과時代良心이正義의軍과人道의干戈로써護援하는今日 吾人은進하야取하매何强을挫치못하랴 退하야作하매何志를展치못하랴

丙子修好條規以來時時種種의金石盟約을食하얏다하야日本의無信을罪하려안이하노라 學者는講壇에서政治家는實際에서我祖宗世業을植民地視하고 我文化民族을土昧人遇하야 한갓征服者의快를貪할뿐이오 我의久遠한社會基礎와卓犖한民族心理를無視한다하야 日本의少義함을責하려안이하노라 自己를策勵하기에急한吾人은他의怨尤를暇치못하노라 現在를綢繆하기에急한吾人은宿昔의懲辨을暇치못하노라

今日吾人의所任은다만自己의建設이有할뿐이오 決코他의破壞에在치안이하도다 嚴肅한良心의命令으로써自家의新運命을開拓함이오 決코舊怨과一時的感情으로써他를嫉逐排斥함이안이로다 舊思想舊勢力에羈縻된日本爲政家의功名的犧牲이된不自然又不合理한錯誤狀態를改善匡正하야 自然又合理한正經大原으로歸還케함이로다 當初에民族的要求로서出치안이한兩國併合의

더욱 크게 만세를 외쳤다. 민족대표들은 "우리의 목표는 달성했다. 비록 우리가 지금 잡혀 가지만 효과는 거둔 것이나 다름없다"고 기뻐해 마지않았다.(이종일,《묵암비망록》)

당시 민족대표들은 독립선언식과 선언문의 배포를 통한 독립

선언을 마치고, 이어 일본 정부와 조선총독부, 미국 대통령, 파리 강화회의에 독립의견서와 독립청원서 전달을 무사히 마치는 것을 무엇보다 중요하게 생각했다. 그리고 이 일로 자신들의 일차적 역할을 다한 것이라고 판단했다.(박찬승,《1919: 대한민국의 첫 번째 봄》)

경성 주재 각국 영사관의 반응

팔각정 행사를 마친 학생들은 거리로 몰려나왔다. 독립운동 본부의 전위부대로 내정된 학생들이 시위를 주도했다. 중앙학교 대표 중 한 명인 최현은 밤낮 들고 다니는 지팡이를 높이 들고 공원 정문을 향해 "대한 독립 만세"를 고창하면서 전진했다. 그 뒤를 따라 학생들은 만세를 부르면서 종로통으로 물밀 듯이 빠져나갔다.

학생들이 거리로 나서자 시위 군중은 더욱 늘어났다. 3월 3일 고종 황제의 인산(因山, 국장)을 보러 상경한 지방 사람들까지 가세한 것이다. 학생들은 독립선언서를 군중에게 나눠 주면서 "만세만 부르면 독립이 온다"고 설명했고, 이들은 독립이 된 줄 알고 전부 길로 뛰어나왔다. 이 때문에 거리는 흰옷 입은 사람들로 꽉 찼다. 앳돼 보이는 여학생들과 부엌 살림하는 아낙, 상투를 튼 노인도 끼어 있었다. 탑동공원에서 200여 명으로 시작한 시위대 규모는 무려 수천 명으로 늘어났다.

시위대는 여러 갈래로 나뉘어 독립 만세를 외쳤다. 시위대 일단은 조선의 궁궐인 경복궁과 창덕궁으로 몰려가 만세를 불렀다. 다른 일단은 일본 헌병들의 제지를 물리치고 덕수궁 대한문 안까지 들어가 고종의 빈전에 조례(弔禮)를 표했다. 그리고 그곳에서도 독립 만세를 외쳤다. 백성에게 많은 한(恨)을 안겨준 황제였지만 역시 많은 한을 안고 가는 그의 최후를 빌어준 셈이었다.

이날 각국(各國) 주재 영사관에는 우편으로 미리 보낸 독립선언서가 도착해 있었지만, 학생들 손으로도 직접 독립선언서가 전달됐다. 군중도 영사관을 순회하며 겨레의 피맺힌 절규를 전했다. 정동의 미국영사관(현 선원전 터) 앞에서는 한 학생이 '조선 독립'이라고 쓴 혈서(血書)를 들고 선두를 이끌었다. 그러자 미국영사가 몸소 문을 열고 이들을 격려하기도 했다.

프랑스영사관에서는 경성전수학교 학생 박승영이 "정의, 인도에 바탕을 둔 민족자결주의에 입각해 조선이 독립을 선언하고 실현시키려 하므로 그 취지를 귀국 정부에 알려달라"고 요청했고 영사관 직원이 이를 수락했다.(김도태·김지환 등의 《3·1운동 회고 좌담회》)

당시 각국 영사관의 반응에 대해 언론인 유광렬은 이렇게 전했다.

"영국영사관은 이들의 호소에 냉담한 반응을 보였으나 미국 영사관에서는 영사 부인과 아이들이 나와 '코리아가 독립됐다'며 같이 만세를 불렀다고 한다. 프랑스영사관은 문이 닫혀 있었고, 명동 천주교당에서는 뮈텔 신부가 나와 '우리는 종교인이라 정치는 모른다'며 참여해줄 것을 호소한 군중들의 요구를 거절했다는 것이다." (유광렬, '나의 이력서', 〈한국일보〉 1974년 3월 1일자)

서울에서 가장 넓은 육조(六曹)거리(현 세종로)도 만세 군중으로 뒤덮였다. 마침 그때 이 만세 군중을 비집으며 일본인 경기도지사가 인력거를 타고 퇴근하다 경을 치르기도 했다. 군중이 그에게 모자를 벗어 들고 만세를 부르라고 호통치자, 도지사는 혼비백산해 고분고분 만세를 부르고 빠져나갔다.

이미 독립선언서에 나타났듯이 시위는 비폭력주의를 우선으로 내세웠기 때문에 질서정연하고 장엄했다. 일본계 신문인 경성일보사(서울시청 부근)의 가토 사장은 감명을 받았던지 2층에서 시위 군중을 내려다보고만 있던 일본인 기자들을 나무랐다.

"이게 얼마나 중대한 일이냐. 죽었던 한민족이 살겠다고 벌

이는 피나는 일을 어찌 2층에서 내려다볼 수 있느냐. 예(禮)

가 아니니 신문사 문에 나가 경의를 표하고 보라."(유광렬, '나의 이

력서', 〈한국일보〉 1974년 3월 1일자)

이때까지 일본 경찰은 상부로부터 확고한 방침을 통고받지 못

한 듯 길 양쪽에 도열해 시위 군중을 지켜볼 뿐이었다.

오후 4시경이 되자 여러 갈래로 나뉘어 만세를 외치던 시위대

가 한곳으로 집결했다. 일본인이 밀집해 살고 있는 혼마치(本町,

현 충무로) 입구였다. 시위대가 이곳에 모인 이유는 분명했다. 당

시 남산 자락에 위치한 조선총독부를 겨냥해서였다. 일제는 1925

년 경복궁 경내에 새 총독부 청사를 짓기 전까지 남산에 지었던

통감부 건물을 청사로 사용하고 있었다.

일본 군대의 등장

조선총독부 고지마 소지로(児島惣次郞) 경무총장은 경찰과 헌

병만으로는 시위대에 대처하기가 어렵다고 판단해, 당시 용산에

주둔하던 조선군사령부에 급히 지원 병력을 요청했다. 조선에서

2개 사단을 지휘하고 있던 조선군사령관 우쓰노미야 다로(宇都宮太郎)는 즉시 용산에 주둔 중인 정규군을 임시로 파견했다. 그러면서 본국의 일본 육군대신 다나카 기이치(田中義一)에게 긴급 전보를 쳤다.

'경성의 학생 이삼천 명이 오늘 (3월) 1일 오후 3시경 대한문 앞에 집합하여 독립을 선언하고 창덕궁으로 향하였으며, 일부는 궁 안에 침입하려 했으나 이를 제지하였다. 위와 같이 형세가 다소 불온하므로 경무총장의 청구에 의해 보병(步兵) 3개 중대, 기병(騎兵) 1개 소대를 파견해 원조했다. 또 선천에서도 독립운동이 있어 그 지역 철도 원호대는 경찰관을 원조하여 이를 해산시켰다고 하는데 아직 상세한 보고는 접하지 못했다.'(《경성 선천 지역의 시위운동 및 파병 상황》)

당황한 조선총독부가 만세운동 전모를 파악하지 못한 채 임기응변으로 대처했음을 보여주는 전보다.

일본 정규군은 혼마치 2정목(충무로2가)에서 보병 3개 중대와 기병 1개 소대를 배치해 방어선을 구축했다. 오후 5시, 일제 군경과 맞닥뜨린 시위대는 여러 번 돌파를 시도했지만 칼과 기마대의 위협 앞에 더 이상 진격하지 못했다. 2시간여의 육박전 끝에 수

많은 부상자가 발생했다. 이날 경성 시내에서 시위하다가 체포된 군중은 134명이었다.

시위는 해 질 녘부터 한풀 꺾였지만 밤이 늦어서도 계속됐다. 경찰에 붙잡히지 않은 시위대 1천여 명은 마포전차 종점에 모여 만세를 불렀고, 연희전문학교(현 서울 연세대) 부근과 종로 십자가(종각 사거리)에서도 군중이 수백 명씩 모여 시위를 이어갔다. 이날 시위에 참가하지 못한 사람들은 시위 군중이 목을 축이도록 거리 곳곳에 물을 떠다놓았다. 은연중에 뜻을 같이한다는 응원이었다.

천도교에서 발행하는 지하신문인 〈조선독립신문〉은 이날의 격앙된 민중 시위운동 상황을 적나라하게 기록했다.

진동(震動) 천지의 만세성(萬歲聲), 태화관 만세성이 나자 동시에 탑동공원에 회재(會在)하였던 수만의 학생이 조선 독립 만세를 제창하며 수무족답(手舞足踏)하면서 풍탕조용(風蕩潮勇)의 세로 장안을 관중(貫中)하니 고목재사(古木災死)가 아닌 우리 민족, 부어롱조(釜魚籠鳥)가 아닌 우리 민족으로 누가 감읍치 아니하리오. 일각일각 증가하는 만세성이 종로4가에 지(至)하여는 천지가 진동하였더라. 《〈조선독립신문〉 제2호, 1919년 3월 3일자)

3·1운동 현장에 있었던 기자 유광렬은 당시의 상황을 이렇게
회고했다.

　"3·1독립운동은 장엄 바로 그것이었다. 진지했던 그 모습, 혼
　연일체가 된 단결력, 그 어느 것 하나 다시 찾아볼 수 없는 감
　격적인 것이었다. 언제 다시 우리 민족이 그렇게 단결할 수
　있을는지……."(유광렬, '나의 이력서', 〈한국일보〉 1974년 3월 1일자)

제 10 장

여생도

여성 독립운동가의 탄생

"(1919년 1월 21일 광무 황제께서 붕어한 이후) 2개월간 우리는 여러 가지 준비를 하였다. 학우의 주소를 조사하며, 재정을 구취(鳩聚)하며, 일인(日人)의 눈을 피해 비밀히 동지를 단속하였다. 혹 (불을) 때는 아궁이 앞에 널짝을 놓고 그 밑에 들어가 가만히 한 마디 두 마디씩 연락을 하여 주기로 하였다가, 3월 1일 오전을 당하여 어린아이 큰사람 할 것 없이 ○○○○ 하나씩 둘씩 끌고 가서 오늘 할 일을 일러주었다. 그래도 천연스럽게 하오 1시가 될 때까지는 참고 공부하기로 하였다.

'불의(不義)코 백 년 살지 말고 의(義)코 하루 살아라'를 변소 벽에 기록하고 한 사람씩 가보게 한다. 하오 1시경에 독립선언서 1장이 들어왔기로 몰래 들여다보고 있을 때 탑골(탑동) 공원에서 독립 만세 소리가 천지를 울리다."('여학생 일기', 상하이판 〈독립신문〉 1919년 10월 16일자)

상하이 임시정부 기관지인 〈독립신문〉에 수록된 '여학생 일기' 중 1919년 만세운동 당시의 상황을 묘사한 내용이다. 교실에서 일본인 교사들과 한국인 여학생들 사이에 벌어지는 팽팽한 긴장 관계를 기록하고 있는 '여학생 일기'는 1910년대의 '유관순들'이 받은 교육과 거기서 형성된 의식세계를 보여주는 소중한 자료다.(이상경, 〈상해판 '독립신문'의 여성 관련 서사 연구〉)

'심원(心園)여사'란 필명으로 작성된 이 일기의 주인공은 당시 경성여고보(경성여자고등보통학교, 현 경기여중고) 학생이던 김원경이다. 김원경은 3·1운동 직후 상하이로 건너간 뒤 애국부인회를 중심으로 임시정부를 지원하는 활동을 하면서 자신의 일기를 6차례에 걸쳐 신문에 연재했다.

총독부가 관리하는 관립 여학교

경성여고보는 1908년 한국 최초로 설립된 관립 여학교인 한성고등여학교의 후신으로, 1910년대 당시 조선총독부가 직할하던 유일한 여자고등보통학교였으며, 전국의 수재와 문벌 있는 가정의 자녀들이 찾는 명문 학교였다. 조선총독부는 경성여고보를 여성 황국신민화 교육의 전초기지로 삼고자 했다. 주로 외국인 선

〈독립신문〉 제16호(1919년 10월 2일자) 중단에 실린 김원경의 '여학생 일기'. (사진 제공: 대한민국역사박물관)

교사들이 설립해 운영하던 이화, 배화, 정신 등 당시 경성의 사립 여학교들과는 달리 총독부가 입김을 행사할 수 있었기 때문이다. 경성여고보 교사 대부분은 일본인들로 채워졌고, 소수의 한국인 교사가 지도하는 자수와 재봉, 조화 시간에도 일본인 교사가 동석하게 했다.

일제는 "조선인이 일본인과 동화하기는 제일 첩경이 여자 교육의 진보 발달하는 데 재(在)하다"('여자교육의 방침', 〈매일신보〉 1910년 9월 16일자)라고 하면서, 2세 양육을 담당하는 여성들을 대상으로 철저히 신민화 교육을 하면 자연스럽게 전체 한국인의 신민화가 정착될 것이라고 판단했다.(박용옥,《한국 여성 항일운동사 연구》)

이에 따라 한국인 여학생들은 철저한 감시와 통제 아래 식민지 교육을 받을 수밖에 없었다. 민족운동 진영은 이런 일제의 의도를 잘 간파하고 있었다. 그리고 우수한 인재들이 다니는 경성여고보를 일제의 식민지 여성교육 정책의 실패 사례로 만들기로 결의했다.

3·1운동 민족대표 33인 가운데 한 사람인 박희도(당시 YMCA 간사)가 주도적으로 나섰다. 박희도는 1917년부터 경성여고보 생도들을 규합해 비밀 조직 결성을 지도했다. 3·1만세운동 당시 300여 명의 전교생 가운데 42명이나 이 조직에 가담할 정도로 규모가 컸다.(최은희,《조국을 찾기까지》)

저항의식을 기른 여학생들은 일본인 교사들과 맞서기를 주저하지 않았다. "(한국에서 일본을 '내지'라고 표현하는 것은) 행랑것(한국)이 큰댁(일본)이라고 하는 것과 같다"고 설명하는 일본인 교사에게 여학생들은 "우리가 일본 사람의 행랑것들이에요?"라고 반박하기 일쑤였다. "일본 돈으로 조선이 산업화되었으니 고맙다고 절을 해야 한다"라 말하는 역사 교사에게는 여학생들이 극도로 분노해 "피피피"라고 소리를 지르며 거세게 반발하기도 했다.

훗날 최정숙이 '소녀 결사대'라고 밝힌 경성여고보생들의 비밀 조직은 민족운동가들과 연락을 취하며 3·1만세운동을 준비했다. 김원경이 '여학생 일기'에서 "2개월간 여러 가지 일을 준비했다"라고 밝힌 내용은 바로 이 활동을 가리킨다. 이 과정에서 본과생 최은희, 김숙자, 이양전과 사범과생 최정숙, 강평국, 고수선 등이 운동의 선봉에 섰다.

특히 당시 25세의 '만학 처녀' 김숙자는 학생들 사이에 "언니"라고 불리며 큰 지도력을 발휘했다. 사립인 이화학당과 영변의 숭덕학교에서 교편생활까지 경험한 김숙자는 일본 대학으로 유학하기 위해 경성여고보 3학년에 편입해 있었다. 김숙자는 기숙사 복습실에서 한국 지도를 펼쳐놓고 '어린 동지'들에게 조국의 참모습을 일깨워주는가 하면, 취침 시간에는 살며시 일어나 만세운동에 쓸 300여 장의 태극기를 제작했다.(김숙자 회고, 〈중앙일보〉

1976년 3월 1일자)

한편 학교 측은 고종 국상 이후 학생들의 '수상한' 움직임에 촉
각을 곤두세우고 있었다. 특히 기숙사 생활을 하는 학생들의 동
태에 감시의 눈길을 기울였고 방과 후 외출도 철저히 통제했다.
그럼에도 김숙자와 최은희 등은 비밀리에 기숙사를 빠져나가 박
희도로부터 3월 1일 오후 1시까지 탑동공원으로 집결하라는 지
시를 전달받았다.

그런데 3월 1일 새벽에 독립선언서 한 뭉치가 학교 담장을 넘어
운동장에 뿌려지는 일이 발생했다. 학교는 초비상이 걸렸다. 학생

경성여보고 재학 당시의 김숙자(사진 가운데).

이 출입하는 통용문은 굳게 잠기고, 정문은 일본인 수위가 지켰다. 기숙생들은 바깥출입을 금지당하고, 통학생들조차 귀가를 봉쇄당한 채 학교 측에서 제공하는 빵으로 끼니를 때워야 했다.

오후 1시에 탑동공원에 모이기로 한 약속을 지킬 수 없는 상황이 되자 학생들은 초조해지기 시작했다. 이때 비밀조직 회원 몇 사람이 교사들이 회의를 하는 틈을 타서 "대문을 빠개자" 하고 고함을 질렀다.

검정 치마 밑으로 허리띠를 단단히 졸라맨 여학생들은 손도끼와 식칼, 돌멩이를 닥치는 대로 집어 들고 기숙사 후문을 부쉈다. 학생들은 깨진 대문짝을 짓밟으며 길거리로 우르르 쏟아져 나왔다. 죽음을 각오하고 나선 만세운동이었기에 속옷에 주소와 성명, 학교, 고향, 부모 이름까지 써 붙인 학생도 있었다.

오후 2시 경성여고보에서 남쪽으로 500여 미터 떨어진 탑동공원에서는 이미 만세 소리가 울려 퍼지고 있었다. 여학생들은 탑동공원에서 선언식을 마치고 북상하는 군중에 합류해 경운동 천도교 중앙대교당을 거쳐 경성여고보 정문을 지나갔다. 교장 이하 교사들과 사환들까지 학교 정문 앞에 나와 넋을 잃고 이 광경을 바라볼 뿐이었다. 여학생들은 일본인 교사들 턱 앞에 두 손을 바짝 들이대고 높은 소리로 "독립 만세"를 통쾌하게 외쳤다.(최은희, 《조국을 찾기까지》)

이날 '여학생 일기'의 주인공 김원경은 일본인 교사가 "왜들 나왔니? 위험한 데 있지 말고 들어가자" 하고 만류하는 것을 뿌리치고 하루 종일 만세를 부르고 거리를 돌아다녔다. 그리고 일기에 이렇게 기록했다.

"하오 7시경이나 되니 혹 기색하여 노방에 쓰러진 친구, 혹 왜경에 결박을 지여 끌려가는 친구, 혹 휘젓는 군기(軍器) 끝에 찔려 넘어져 어머니를 찾는 친구, 그 정상이야 어찌 차마 보랴. 그날 밤 9시까지 경찰서에 잡혀가 얻어맞고 나오다."

경성여고보생의 맏언니 김숙자도 일본 군경의 잔혹 행위를 목격했다. 김숙자의 아들인 장치혁 전 고합그룹 회장은 "어머니는 출동한 일본 기마경찰이 만세 시위를 하다 쓰러진 여학생을 말발굽으로 그냥 밟고 넘어가는 장면을 보고 큰 충격을 받으셨다"며 어머니의 회고를 전했다. 또 일본 경찰의 체포를 피해 기숙사로 돌아온 어머니를 보고 일본인 사감이 "수고 많으셨습니다" 하고 인사를 건넸다고도 한다.

최은희는 일본인이 많이 사는 진고개(현 충무로) 골목까지 진출해 만세를 부르다가 헌병들에게 체포됐다. 그는 당시를 이렇게 회고했다.

"물샐틈없는 좁은 골목이라서 본정 2정목에 이르러서부터는 몽땅 체포되기 시작했다. 일제 상가(진고개 상점가의 일본 상인들)가 모두 떨쳐 나와 협력했다. …… 수갑이나 포승을 사용할 겨를이 없었다. 헌병들이 양편 손에 한 사람씩 손을 잡고 남산 밑에 있는 경무총감부로 연행해 갔다."(최은희, 《조국을 찾기까지》)

그러나 최은희 등 수많은 학생들은 헌병들에게 질질 끌려가는 길에서도 힘차게 만세를 불렀다. 경무총감부 마당에 꿇어앉은 이들도 사람들이 잡혀 올 때마다 마주 바라보며 함께 만세를 불렀다. 아무리 붙들리고 붙들려도 독립 만세의 함성은 결코 멈추지 않았다.

이날의 만세운동으로 경성여보고 전교생의 10퍼센트가량인 32명이 일본 경찰에 체포됐고, 이 가운데 10여 명이 구금됐다. 경찰의 연락을 받은 경성여보고 교장은 체포된 학생 명단을 조회한 뒤 "최정숙과 최은희는 그쪽 처분대로 하여주십시오" 하고 나머지 30명만 학교로 데려왔다. 경무총감부 유치장에 수감된 여학생들은 일본 순사들에게 성적 희롱을 당하기도 했다. 여학생들의 젖가슴에 손을 대고 엉덩이를 꼬집는 등 가혹 행위가 자행됐다.(최은희, 《조국을 찾기까지》)

경성여고보생들이 독립 만세를 외치며 전찻길 옆을 행진하는 모습.

그러나 경성여고보생들의 만세운동은 이것으로 끝나지 않았다. 민족대표 33인이 서대문감옥으로 끌려간 뒤 3월 5일 경성 학생들이 주도하는 남대문역 2차 시위에 다시 참가했다. 남학생들의 연락을 받은 경성여고보 기숙생 전원(70여 명)은 이날 새벽 사감의 눈을 피해 기숙사를 빠져나가 남대문역에서 시위에 참여했다. 이때 경성여고보생들은 '일편단심'을 의미하는 빨간 머리띠를 수천 개 만들어 각 학교에 전달해 사용하도록 했다. 이날 2차 시위에서는 제주 출신의 고수선이 종로경찰서로 잡혀가 손가락 고문을 당해 평생 손가락에 상처가 남기도 했다.

　　두 차례에 걸친 경성여고보 학생들의 독립 만세 시위 행진은 당시 장안에 큰 파문과 충격을 가져다주었다. 특히 일제 당국은 3월 1일 1차 시위에서 경성의 수많은 여학교 중 유일하게 경성여고보 전교생이 만세운동에 참가한 사실에 경악했다. 일제의 여성 신민화 교육이 실패했음을 보여준 사건이었기 때문이다.

열혈 독립운동가로 변신한 여학생들

3·1만세운동에 놀란 조선총독부는 3월 10일 각 학교에 임시 휴교령을 내렸다. 경성에서의 만세운동을 막으려는 조치였다. 그러나 이것은 일제의 실책이었다. 학생들은 귀향을 한 뒤 각 지방에서 만세운동을 이끌었고, 이후 열렬한 독립운동가로 변신했다. 경성여고보생들도 마찬가지였다.

3·1만세운동을 주도한 최은희는 이후 신문기자로 활약하면서 1927년 한국 최초의 전국적인 여성운동 조직인 '근우회'에 참여해 민족운동을 벌였다.

김숙자는 휴교령이 내리자 고향인 평안북도 영변으로 내려가 1919년 8월 여성들의 비밀독립운동 조직인 대한애국부인회 평북 조직책으로 활약하다가 1921년 5월 일본 경찰에 체포됐다.

김숙자의 활약은 눈에 띄었다. 〈매일신보〉 1921년 6월 24일자 기사에는 '여자 정치범 검거, 독립운동의 거괴(巨魁) 김숙자'라는 제목으로 김숙자가 독립운동에 쓸 군자금을 모집하다가 검거됐다는 기록이 남아 있다. 수원대 박환 교수는 "공식 기록이라고 할 수 있는 총독부 기관지 〈매일신보〉에서 김숙자 지사가 독립운동을 한 사실이 명백히 밝혀져, 김 지사에 대한 독립유공자 서훈의 길이 열렸다"고 밝혔다.

그런가 하면 수원 출신의 이선경은 3·1운동 수원 최초의 자생적 비밀 결사조직인 혈복단(이후 구국민단)에 가입해 활발한 독립운동을 펼쳤다. 수원에 거주하면서 경성으로 통학하고 있는 학생들을 중심으로 구성된 구국민단은 1920년 6월 결성된 뒤 상하이에서 발행하는 〈독립신문〉 배포, 수감된 독립운동가 가족 구조, 임시정부 자금 지원 활동 등을 했다. 구국민단은 그해 8월 일본 경찰에 발각되었고, 이선경을 비롯한 간부진(박선태, 이득수, 임순남, 최문순 등)은 징역형을 받았다. 학교로부터 퇴학 처분을 받은 이선경은 혹독한 고문을 당한 뒤 구류 8개월 만에 석방됐으나 풀려나온 지 9일 만인 1921년 4월 21일 19살의 나이로 순국했다. 이선경은 "만일 석방된다면 다시 이 운동을 벌일 생각인가?" 하고 묻는 일본 경찰에게 "그렇다. 석방돼도 다시 나라의 독립을 위해 싸우겠다"라며 신념을 굽히지 않았다. 이선경이 '수원의 유관순'으로 불리는 이유를 알 수 있는 대목이다.

제주 출신의 여자 3인방 최정숙, 강평국, 고수선은 이후 군자금 모집 등 항일운동, 문맹퇴치 교육, 여권 신장 운동 등을 하며 불꽃같은 삶을 살았다.

3·1운동이 맺어준 인연

3·1운동은 여학생들과 남성 민족운동가들을 부부로 맺어주기도 했다. 남녀 구별이 엄격했던 당시 3·1항쟁을 통해 기개 높은 민족의식을 드러낸 여학생들이 독립 투쟁에 뛰어들었던 남성 지사들에게 매력적으로 다가섰기 때문이다. 이후 백년가약의 인연이 속속 맺어졌다. 당시 '재원 집합소'로 이름을 날리던 경성여고보 학생 김숙자와 김원경 등이 대표적이다.

김숙자는 3·1만세운동 후 평안북도 영변으로 귀향해 교사 생활을 하던 중 1920년 7월 언론인이자 국사학자인 장도빈(건국훈장 독립장)과 결혼했다. 당시로서는 노총각인 장도빈(33세)과 노처녀인 김숙자(28세)가 혼인하게 된 것은 항일 독립운동이라는 공통분모가 작용했기 때문이다.

김숙자는 독립운동가 집안 출신의 재원이었다. 그의 부친 김준 찬은 광복군 사건으로 투옥 생활을 한 독립운동가였고(〈동아일보〉 1925년 11월 12일자), 그의 남동생 김응원은 임시정부 국내 조직인 연통제의 책임자로 활약하며 조선총독부 대관(大官)을 암살하려 다 체포됐다.(〈동아일보〉 1922년 3월 3일자) 부모 형제가 모두 항일 투쟁을 한 독립운동가 집안 출신이었던 것이다.

'여학생 일기'의 주인공인 김원경도 3·1운동으로 부부 연을 맺 었다. 김원경은 1919년 4월 '조선독립애국부인회' 및 '혈성단' 대 표로 중국 상하이에 파견을 갔다가 독립운동가 최창식(건국훈장 독립장)을 만나 결혼했다. 오성학교 교사 출신인 최창식은 3·1운 동 당시 서울에서 학생들과 함께 만세운동을 벌인 뒤 상하이로 망명해 임시정부에 참여하고 있었다. 그는 상하이판 〈독립신문〉 등을 발행하는 인쇄소를 운영하면서 김원경과 만난 것으로 알려 졌다.

경성여고보 외에도 3·1만세운동으로 부부 인연을 맺은 여학생 으로 정신여학교생인 이아주(당시 20세)를 꼽을 수 있다. 그는 3월 5일 서울 남대문역 앞에서 학생 주도 독립 만세 시위를 하다가 일 본 경찰에 체포됐다. 이아주는 "다시는 이런 행동을 하지 않겠다 면 관대히 처분하겠다"라고 회유하는 재판관의 제의를 일축한 채 독립의 정당성을 주장하다 6개월 실형을 선고받았다. 당시 이아주는 "정숙한 이 내 몸에 포박이 웬 말인가. 청춘의 끓는 피 참기 어려워 울음이 목맺히도다"라는 옥중 시로 세인의 가슴을 울리기도 했다.(〈동아일보〉 1920년 4월 20일자) 당시 재판 과정을 지켜본 인촌 김성수는 당당하고 정연하게 진술하는 그의 모습에 크게 감동을 받았다. 당시 부인과 사별했던 인촌은 1921년 1월 이아주와 결혼했다.

숙명여학교 출신 박자혜도 3·1운동을 인연으로 결혼까지 했다. 조선총독부의원 산부인과 간호사로 일하던 그는 당시 일본 군경에 무자비하게 진압당한 학생들을 치료하면서 일본을 위해 일한다는 사실에 부끄러움을 느끼고 독립운동에 뛰어들었다. 이후 간호사들로 구성된 '간우회'를 조직해 일제에 항거하다가 일본 경찰에 체포되기도 했던 박자혜는 중국으로 망명해 단재 신채호(건국훈장 대통령장)를 만나 결혼까지 한다. 박자혜와 단재는 1920년 우당 이회영의 부인 이은숙의 소개로 만난 것으로 알려졌다.

제 11 장

불꽃

다시 폭발하는 독립의 열망

1919년 3월 5일 오전 9시경, 경성 남대문역 앞 광장. 이틀 전에 치러진 3월 3일 고종의 국장(國葬) 행사를 참관한 뒤 귀향하는 사람들로 역 앞은 평소보다 더 북적거렸다. 일제 군경의 일상적 경계 외엔 광장을 오가는 행인들의 모습도 평소와 다를 바 없었다. 겉으로는 평온한 듯했다. 그러나 3·1만세운동의 거대한 태풍이 휘몰고 간 후의 팽팽한 긴장감을 안으로 꼭꼭 그러안은 고요였다.

정적은 곧 깨졌다. 느닷없이 젊은 남녀 학생들이 무리를 지어 나타나더니 커다란 광장이 삽시간에 수천 명으로 불어난 학생들로 가득 메워졌다. 이른 새벽부터 역 부근의 창고 뒤나 작은 골목에 몸을 숨기고 있던 학생들이 일단의 무리를 이루어 바로 광장으로 뛰어들었던 것이다.

뒤이어 군중 속에서 인력거 한 채가 나타나더니 턱 멈추었다. 짙은 고동색 한복 두루마기 차림의 청년이 내리지도 않고 인력거

위로 올라섰다. 그는 품속에서 커다랗게 '조선 독립'이라고 쓴 기를 꺼내 높이 들더니 "독립 만세!"를 외쳤다.

영웅처럼 나타난 한 청년의 말에 군중의 가슴이 다시 울렁거렸다. 그간 경성에서는 3월 1일 독립만세운동 이후 사흘간 이렇다 할 시위가 일어나지 않았다. 33인의 민족대표들이 모두 붙잡혀가 독립만세운동도 일과성 사건으로 가라앉는 듯했다. 시위가 수그러들었다고 판단한 조선군사령부도 1개 중대를 부대로 복귀시켰을 정도였다. 그러다 이날 학생들이 주도하는 제2차 3·1운동이 군중의 가슴에 다시 한 번 불꽃을 터뜨린 것이다.

3.1운동 당시의 남대문역(현 서울역).

의기충천한 군중은 청년을 앞세우고 한꺼번에 만세를 불렀다. 어린 여학생들도 "만세!"를 연호하며 감격의 눈물을 흘려 울음바다를 이루었다. 그때 또 다른 인력거 한 채가 등장하자 분위기는 더욱 격앙됐다. 이번에는 흰 한복 두루마기를 걸친 청년이 '조선 독립'이라고 쓴 커다란 기를 휘두르며 군중을 선도했다. 청년이 "제2의 독립운동을 선포한다"고 외치자, 사람들은 두 손을 번쩍번쩍 올리고 만세를 외쳤다. 어린 중학생들은 껑충껑충 뛰면서 독립 만세를 환호했다.(최은희의 《조국을 찾기까지》·경성지방법원 '윤익선 등에 대한 판결문' 및 '이양직 신문조서')

처음 나타난 청년은 연희전문학교(연세대 전신) 대표인 3학년 김원벽(1894~1928), 뒤이어 나타난 청년은 보성법률상업전문학교(고려대 전신) 대표인 3학년 강기덕(1886~?)이었다.

학생이 주도한 제2차 3·1운동

경성 학생 사회에서 신망이 높던 김원벽과 강기덕은 3월 1일 탑동공원에서 학생들의 독립선언을 이끌어낸 주역이기도 했다. 33인의 민족대표들이 태화관에서 체포된 이후부터는 이들 학생 대표단이 남은 '짐'을 고스란히 떠안았다.

학생대표단은 4일 오전 경성 내 각 전문학교 대표, 고등보통학교 및 중등학교 대표들을 소집해 학생 주최의 대규모 독립운동을 결의했다. 5일의 남대문역 봉기도 3월 1일의 경험을 토대로 치밀하게 계획을 세워 결행한 차였다.

학생단이 남대문역을 택한 데는 이유가 있었다. 역 광장에서 대대적인 독립만세운동을 다시 전개해 귀향하는 사람들의 참여를 북돋우고, 철로를 따라 만세운동 소식이 전국으로 퍼져나가게 하려는 의도였다. 전략은 성공적이었다. 명지대 김두얼 교수의 분석에 따르면 1919년 당시 전국 220개 군 가운데 철도가 지나가는 군(60개 정도)은 그렇지 않은 군보다 평균 7일 정도 시위가 빨랐고 참여한 군중 수도 더 많았다.

시위 선동을 맡은 학생 '만세꾼'들은 조직적으로 움직였다. 중앙학교 3학년 생도 이재근은 거리를 돌아다니면서 장정들에게 돈을 주고 싸움을 벌이게 한 후 구경하러 모여드는 군중을 이끌어 만세를 부르게 하였다.(중앙100년사 편찬위원회,《중앙백년사》)

학생들은 독립을 고취하는 내용이 담긴 각종 인쇄물을 군중에게 나누어 주면서 시가행진을 했다. 시위대는 빨간 어깨띠를 두른 강기덕과 김원벽 두 사람을 둘러싸고 종로 보신각으로 향했다. 시위대가 독립운동자임을 알리는 표식인 붉은 천을 흔들며 행진하자, 거리는 온통 붉은색 일색이었다.

3·1운동 당시 시위대에 대응하기 위해 도열해 있는 일본 군경.

시위대가 남대문 쪽에 이르자 일본 경찰은 급히 저지선을 폈다. 기습한 일본 경찰이 일단의 시위대를 이끄는 강기덕을 체포했다. 김원벽의 시위대는 남대문 안쪽 덕수궁 대한문까지 진출했다. 일본 경찰이 또다시 앞을 가로막았다. 그래도 시위는 끊이지 않았다. 일본 경찰이 선두에 선 시위대를 마구 구타하고 검거하면 또 다른 사람들이 열을 지어 돌진했다.

마침내 일본 경찰의 제지를 뚫은 시위대는 종로 보신각 앞까지 진출해 집결했으나 무자비한 진압 탓에 해산을 당했다. 일본 경찰은 연약한 여학생들에게까지 대검을 빼 휘두르고 총을 쏘는 등 폭압적인 방법을 모조리 동원했다. 수많은 학생이 피를 흘리며 쓰러졌다. 일본 경찰은 주모자 김원벽을 잡기 위해 사정없이 폭력을 휘둘렀다. 이때 쇄골이 부러진 김원벽은 사망할 때까지 후유증에 시달려야 했다. 이날 검거된 이들 가운데 재판에 회부된 사람만 77명에 달했다. 대부분 학생 신분이었고 여학생들도 6명이나 됐다.

학생들이 주도한 제2차 독립만세운동에서는 여학생들의 활약이 단연 돋보였다. 남대문역에서 종로 보신각으로 이어지는 시위에서는 여자고등보통학교 학생들이 가세해 군중을 선도했다. 덕수궁에서 아수라처럼 날뛰는 일본 경찰의 경비망을 뚫은 것도 여학생들의 용감한 행동 덕분이었다. 게다가 중등학교 이하 어린 여생도들까지 만세운동에 나서는 것을 보고 외면할 수 없어 시위에 참여한 사람도 적지 않았다. 3·1운동에서 일본 경찰에 체포된 경성여자고등보통학교 학생 최은희는 "이때 검거된 시위대 100여 명 중에는 많은 여학생이 포함되어 있었다"고 밝혔다.(최은희, 《조국을 찾기까지》)

여학생들은 일본 도쿄의 2·8독립선언 이후 귀국한 여성 유학생들과 함께 조직적으로 움직이기도 했다. 당시 동경여자유학생 친목회장으로 활동하던 김마리아(1892~1944)와 동경의학교 유학생 황애시덕(1892~1971) 등이 국내 여학생들의 운동 참여를 주도했다.(국사편찬위원회, 《한민족독립운동사자료집》 14)

김마리아는 도쿄 조선기독교청년회관(YMCA)에서 열린 2·8독립선언 행사에도 직접 참여한 적이 있었다. 그는 2·8독립선언서 서명자 명단에 여성이 배제된 것에 대해 불만을 터뜨릴 정도로 열혈 여성투사였다.

김마리아는 도쿄 독립선언 이후 기모노 차림의 허리띠에 2·8 독립선언서를 숨기고 국내로 들어와 유학생들의 독립선언 소식을 각지에 전파하면서 국내 독립운동을 호소했다. 그리고 경성에서 여학생 독립운동 조직을 결성하다가 3월 6일 모교인 정신여학교(연동여학교)에서 일본 경찰에 붙잡혔다. 일본 경찰은 어린 여학생들의 만세운동 가담 배후 인물로 그녀를 지목했다. 서대문감옥에 투옥된 김마리아는 모진 고문을 당했다. 코에 물과 고춧가루가 부어지고, 가마니에 말려 몽둥이로 온몸을 맞는 고문을 당하느라 훗날 귀와 코에 고름이 차는 병으로 평생 고통받았고 결국 그 후유증으로 사망했다.(박용옥, 《김마리아: 나는 대한의 독립과 결혼하였다》)

도쿄의 남자 유학생들도 가만있지 않았다. 이들이 경성의 독립운동에 가담한 사실은 일제 기록에도 나타난다. 경성 학생들과 도쿄 유학생 등 63명이 3월 5일 밤 11시경 거사 이후의 독립운동을 위해 비밀리에 합동 모임을 열다가 일본 경찰에 체포됐다.(3월 6일자 조선총독부 경무국 보고) 3월 5일 학생 운동에 일본 유학생들이 적극 참여했다는 증거다.

일제 총독부 경무총감부는 이날 남대문역에 집합한 학생 수를 4천~5천 명으로 추산했으나, 조선군사령관 보고서는 남대문역 시위 규모를 1만 명가량으로 기록하고 있다. 그런데 만세꾼이 동원한 경성의 부민(府民, 시민)까지 합치면 실제로는 수만 명(각 학교 학생단 사건에 대한 경성지방법원의 예심종결서)에 이르렀을 것으로 추정된다.

한편 일제 정보망에 따르면 학생 시위대 중에는 지방에서 올라온 학생도 상당수 있었던 것으로 파악된다. 200명의 평양 학생들이 경성의 학생운동이 부진하다고 보고 급히 상경해 합류했다거나(경성지방법원 '최흥종 등에 대한 판결문') 각 도에서도 결사대를 조직한 뒤 서울 학생을 격려해 대대적 운동을 일으키려 했다는 보고도 있다.(조선헌병사령관 보고 전문)

사실 서북 지역 학생들이 경성의 만세운동에 참여하게 된 동기는 따로 있었을 것이다. 3월 1일 경성과 동시에 만세운동이 전개된 곳은 평양, 선천, 의주, 원산, 정주 등 이북 지역이었다. 이 지역에서는 3월 1일 거사 이후에도 거의 매일 학생들의 독립운동이 이어지고 있었다. 반면 경성에서는 학생들의 움직임이 너무 잠잠했다. 이에 불만을 느낀 평양 학생들이 응원을 하러 상경했을 가능성이 있다. 다른 한편으로 경성의 학생대표단이 평양을 비롯해 각 지방 학생들과 사전에 지원 문제를 협의했을 가능성도 높다. 당시 학생대표단은 서북학생친목회 출신이 다수를 이루고 있었던 데다 특히 김원벽은 평양 숭실학교를 다닌 이력이 있기 때문이다.

학생에서 노동자로

경성에서 일어난 제2차 학생운동은 민족 독립의 갈망을 재집결하여 폭발시키는 효과를 가져왔다. 동시에 중앙에서 대규모로 독립운동이 계속 전개되고 있다는 소식이 전국 각지에 전해져 3·1 운동을 확산하는 촉매제가 됐다.(서울특별시시사편찬위원회, 《서울항일독립운동사》)

그 대신 학생들은 큰 대가를 치러야 했다. 3월 5일 만세 시위로 충격을 받은 일제는 대대적인 시위 주동자 색출 작업을 전개했다. 학생들이 머물 만한 모든 여관과 하숙집은 일본 경찰의 우선 검색 대상이 됐다. 마치 경성 전체에 삼엄한 계엄령이 선포된 듯했다. 수많은 학생이 일본 경찰에 체포돼 온갖 모진 고문을 당했다. 이후 학생 단체가 주도하는 대규모 독립운동은 더 이상 불가능했다.

그러나 살벌한 일본 경찰의 총검과 밀정의 감시 속에서도 학생들은 꺾이지 않았다. 체포되지 않은 학생 간부들은 몇 사람씩 짝을 지어 소규모 비밀조직을 만들었다. 이들은 독립정신을 고취하는 지하신문을 제작하거나 독립운동을 촉구하는 격문을 살포하며 노동자와 상인 등 각계각층으로 파고들었다.

시위를 단속하는 일본 경찰은 한숨을 돌릴 겨를이 없었다. 자고 일어나면 독립운동을 촉구하는 각종 격문이 전차 안과 가로변에 더덕더덕 붙어 있었다. 경성고등보통학교 학생 박노영 등도 3월 6일 조선독립단이라는 단체 명의로 '동포여 일어서라'라는 격문을 살포했다.

"3월 1일 우리들은 선배 33인이 조선 독립선언서를 발표하자 만천하의 지사와 피 끓는 남아는 한 몸의 희생을 돌보지 않고 같이 일어났다. 동포여, 오늘은 평화적 정도가 오는 시대이며 민족적 자결이 일어나는 시대이다. 두려워하지 말고 또 유예하지 말라. 우리는 세계의 대세에 순응하여 일어나기 때문에 그들이 여하한 감언이설로써 기만하여도 믿지 말라. 동포의 자제가 결핵에 걸리고 쇠사슬에 묶인 자가 얼마이던가. 동포의 눈에도 피눈물이 있고 가슴에는 정열이 있다. 천추일우의 이 기회를 놓치면 행운의 신은 동포의 얼굴에 무능하다

는 침을 뱉을 것이다." [Henry Chung(鄭翰景), 《The Case of Korea》]

총독부의 엄포와 거짓말에 굴하지 말고 겨레가 총궐기하자는 내용이었다.

이에 호응이라도 하듯 8일 경성에서 최초로 노동자 시위가 일어났다. 조선총독부 용산인쇄국의 직공 200여 명이 야간작업 도중 길가로 뛰쳐나와 태극기를 휘두르며 독립 만세를 불렀다. 이 시위는 일제의 무력 통치 상징인 조선군사령부가 있는 용산, 그것도 조선총독부 직할 공장에서 일어났다는 점에서 이후의 노동자 파업에도 큰 영향을 미쳤다.(1919년 3월 8일, 경무국 보고)

용산인쇄소 직공 독립운동 다음 날인 9일에는 경성전기회사 한인(韓人) 전차 운전사와 차장 120명이 파업을 단행해 전차 운행이 중지됐다. 정오에는 담배 생산 공장인 동아연초공장(종로4가 사거리)에서 나이 어린 직공 500여 명이 파업에 돌입하고 만세운동을 펼쳤다. 이후 각 회사 노동자의 출근율이 감소하는 등 노동자 파업이 거세게 일어나기 시작했다.

이름	생년	출신지	주요 활동
김원벽	1894	황해도 은율	목사의 아들로 태어나 기독교 교육을 받았다. 평양 숭실전문학교에서 1년간 수학하다가 경성의 연희전문학교에 진학했다. 3·1운동 학생대표로 활동하다가 체포돼 2년간 옥고를 치렀고 이후 교육계와 언론계에서 활동했다. 1928년 사망 직전까지 조선총독부의 소운송업 통합정책에 반대하는 운동을 주도했다.
강기덕	1886	함남 원산	3·1운동 민족대표단과 연계해 학생 조직을 이끌었다. 3월 5일 시위로 옥고를 치른 후 1927년 함남기자대회를 이끌다 체포돼 다시 금고형을 살았다. 1930년대에는 신간회 회원으로 독립운동을 계속했다. 1945년 광복 후 건국대 전신인 조선정치학관 초대이사장 등을 지냈고, 1950년 6·25전쟁 중 납북됐다.
김마리아	1892	황해도 장연	광주 수피아여학교와 서울 정신여학교에서 교편생활을 하다 일본 유학길에 올랐다. 귀국 후 3·1운동의 여학생 시위 배후 인물로 지목돼 5개월간 옥고를 치렀다. 1919년 9월 '대한민국 애국부인회'를 조직해 여성 독립운동을 주도하다가 또다시 체포됐다. 이후 해외로 망명해 미국에서 황애시덕, 박인덕 등과 함께 여성운동단체 '근화회'를 조직하는 등 조국 독립을 위해 매진했다. 1935년 귀국 후 고문 후유증으로 건강이 악화돼 광복 1년을 앞둔 1944년 사망했다.

용산인쇄국

노동자 독립만세운동이 일어났던 용산인쇄국(소) 자리는 서울역에서 남쪽으로 3킬로미터 정도 떨어진 용산구 원효로3가 KT 원효지사 터다. 최근 다시 찾은 현장에서는 만세운동이 있었다는 어떠한 흔적도 발견할 수 없었다.

용산인쇄국은 1923년 조선인쇄주식회사로 민영화됐다. 이 일대는 전차 정거장까지 설치될 정도로 인쇄 거리로서 유명세를 떨쳤다. 그러나 지금은 영세 상가와 소규모 건물이 꽉 들어차 있을 뿐이다. 그 어디서도 그날 노동자들의 독립운동을 기억할 만한 것은 보이지 않았다. 마치 역사에서 깨끗이 지워진 듯했다.

서울에서 노동자 독립 만세운동이 처음으로 일어난 용산인쇄국(현 KT 원효지사 자리).

그럼에도 불구하고 3·1운동 이후 노동자층이 자발적으로 첫 독립 만세를 외친 역사의 현장은 결코 의미가 작지 않다. 일제의 표현처럼 '무지한 조센진'에서 '각성한 한국인'으로 스스로 깨어난 민중이야말로 3·1운동의 진정한 정신을 대변해주기 때문이다.

제 12 장

경제 전쟁

상점 문을 닫아라

1919년 3월 9일, 경성 종로의 상인들이 일제히 상점 문을 닫아거는 철시(撤市)를 단행했다. 하루 전날 경성상민(京城商民) 대표자 일동 명의로 작성된 '경성시 상민일동 공약서'에 따라서였다. 공약서는 9일 일체 폐점할 것, 시위에 가담할 것(단 폭행은 하지 말 것), 위약한 상점은 용서 없이 처분(응징)할 것 등의 내용을 담고 있었다.

경성 내 1천여 개 상점이 동시에 문을 닫아걸고 상인들이 시위에 가담하자 조선총독부는 당황했다. 조선왕조 이래 어용상인 밀집거리인 육주비전(六注比廛, 육의전)의 전통을 계승한 종로 상인들까지 영업 중단 손실을 각오하면서 완전 철시하리라고는 예상치 못했다.(국사편찬위원회,《한민족독립운동사》3)

상점 문이 일제히 닫힌 경성 중심의 상점가.

경성 상인들이 철시 운동을 벌이자 일제 군경이 강제로 상점 문을 여는 모습. (1919년 출간 《대한독립혈전기》)

3월 8일 용산 인쇄직공들의 첫 노동자 파업 시위와 동시에 전개된 상인 철시 운동은 착취와 수탈을 기본으로 하는 식민 지배 경영의 실핏줄을 마비시켜 일제에 타격을 줬다.

일본 정부는 사태가 심상치 않음을 파악하고 조선총독부 하세가와 요시미치(長谷川好道) 총독에게 시위를 조속히 진압하라는 명령을 내렸다. 조선총독부는 총칼로 무장한 군경을 동원해 철시 운동을 막으려 했다. 상인들에게 총을 들이대며 점포 문을 열라고 위협했다. 그러나 상인들은 어쩔 수 없이 잠시 상점 문을 열었다가도 무장 군경이 돌아서기만 하면 다시 상점 문을 닫아버렸다.

총독부는 상인들을 회유하기도 했다. 총독부의 지시를 받은 경성상업회의소가 상인들에게 개점을 종용했다. 그러나 상인들은 3·1운동으로 구속된 한인들을 석방하라고 요구했고, 삼엄한 경비 탓에 영업이 안 되므로 일본 경찰의 시가(市街) 경계를 풀라는 조건을 내세워 일제를 당황케 했다.(〈매일신보〉 1919년 3월 11일자)

경성의 상인 철시 운동은 평양과 인천, 개성 등 지방으로 확산되면서, 한 달 넘게 이어지다가 4월 중순에야 일단 멈추었다.

한편 철시 운동과 함께 은행의 거액 인출 운동도 전개됐다. 이는 현금 유동성을 차단해 일본계 은행을 파산시키려는 의도였다. 중역과 주주 모두 친일파로 구성돼 '국적은행(國賊銀行)'이라 불리던 한성은행에서는 3월 9일과 10일 이틀 만에 무려 20만 원

에서 25만 원의 거액이 한꺼번에 빠져나갔다.(조선총독부 경무국 보고)

민족대표 2선 조직 가동

상인들의 철시 및 일본계 은행에 대한 예금 인출 운동은 우연히 벌어진 일이 아니었다. 3·1독립운동 2선 조직의 '숨은 힘'이 작용한 결과였다. 독립선언서에 서명한 민족대표들이 종로 태화관에서 체포된 직후, 운동을 이어갈 10여 명의 '2선 조직'이 곧장 가동을 시작했다. 이들은 지속적인 운동 전개를 위해 33인 독립선언서 서명자 명단에서 빠져 있었던 것이다.

교육계에서는 송진우와 현상윤, 문인 중에서는 최남선, 기독교계에서는 함태영, 김지환, 안세환, 김세환, 천도교계에서는 박인호, 노헌용, 이경섭, 한병익, 김홍규, 그 외 임규, 김도태, 정노식 등이 2선 조직의 주역으로 활약했다. 3월 5일 남대문역에서 2차 3·1만세운동을 벌인 김원벽과 강기덕도 학생계를 대표하는 2선 조직이었다. 이들은 33인에 더해 일제에 체포된 뒤 재판에 회부됐기 때문에 '민족대표 48인'으로 불리기도 한다.

이 중에서 중앙학교 교장 송진우는 일제와의 '경제 전쟁' 배후로 꼽히는 핵심 인물이다. 그는 3월 1일 밤 북촌 계동 중앙학교 뒷산의 비밀 연락 장소로 학생 대표들을 소집해 일본인들의 본토 철수를 요구하는 운동, 일본인과의 물품 매매를 거절하는 철시 운동, 총독부에 대한 납세 거부 운동, 한인 관공리(官公吏)들의 사직 운동, 일인들이 세운 공장에서의 동맹 파업 및 학생들의 동맹 휴학 등 구체적인 독립운동을 제시했다.(고하송진우선생전기 편찬위원회,《독립을 향한 집념: 고하 송진우 전기》)

송진우가 3월 1일 만세운동 당시부터 경성 시내 시장 상인들의 전면 철시를 지도했다는 증언도 있다.

"종로와 남대문 일대의 큰 상점에는 대체로 연락이 돼 이날 (3월 1일) 정오부터 철시를 했지만 미처 연락이 안 된 일부 점포들은 문을 열어놓고 있었다. 이 소식을 들은 고하(송진우)는 상업계의 대표급 되는 인사에게 완전 철시하도록 연락하라고 일렀다. 이리하여 서울 중심에 있는 점포들은 모두 문을 닫음으로써 철시에 협조하였다고 한다."(이희준의 증언, 《고하 송진우 전기》)

일제와의 '경제 독립전쟁'을 주도한 고하는 3월 5일 학생이 주체가 된 만세운동을 격려하기 위해 남대문역까지 방문한 것을 끝으로 일본 경찰에 체포되고 만다. 고하의 손자 송상현 유니세프 한국위원회 회장은 당시 고하가 일본인 형사에게 패륜적인 고문을 당했다고 밝혔다.

"고하를 발가벗겨 기둥에 묶어놓고 칠흑 같은 어둠 속에서 훈련된 경찰견으로 하여금 무차별적으로 물게 했다고 한다. 이 과정에서 고하는 생식 능력을 잃어 다시는 자손을 가질 수 없게 됐다는 게 집안 내의 정설이다." (송상현 회고록, 〈신동아〉 2018년 2월호)

송 회장은 고하의 양손자(養孫子)다.

일제가 송진우에게 잔인무도한 고문을 하면서 밝혀내려고 한 것은 인촌 김성수의 3·1운동 가담 여부였다. 그러나 고하는 "김성수는 그때 향리(鄕里)에 가 있었다"라며 끝내 부인했다. (송진우에 대한 경찰신문조서) 일제 수사 당국은 송진우와 현상윤이 중앙학교 교장 사택에서 3·1운동을 모의한 것을 알았지만, 인촌이 관련된 증거를 밝혀내지 못해 중앙학교를 폐쇄할 수 없었다. (중앙100년사 편찬위원회, 《중앙백년사》)

손병희의 삼전론

한편 3·1운동 이면에는 자금을 동원하려는 민족 세력과 이를 차단하려는 일제와의 치열한 물밑 싸움도 벌어졌다. 기독교와 천도교, 불교 등 종교단체가 협력해 수많은 사람을 동원하는 거사에는 막대한 자금이 필요했다. 3·1운동 33인 민족대표 지도자인 손병희는 철저한 준비와 돈이 뒷받침되지 못하는 운동은 공염불에 그치기 쉽다는 점을 누구보다도 잘 알고 있었다. 1884년 갑신정변을 목격하고 1894년 동학혁명을 직접 겪으면서 얻은 경험이었다.(김삼웅,《의암 손병희 평전》)

손병희의 실사구시형 리더십은 1902년 발표한 '삼전론(三戰論)'에 잘 드러나 있다. 그는 세계 대세를 보건대 앞으로 세 가지 싸움(삼전)이 중요하다고 주장했다.

"첫째 도전(道戰)으로 국민의 정신을 계발하는 데 전력을 다할 것이며, 둘째 재전(財戰)으로 국가의 산업을 개발해 자립할 수 있는 국력을 키워야 한다. 셋째 언전(言戰)은 외국의 사정에 밝아 외국과의 의사소통이 원활케 하는 것이다."

이를 독립운동에 대입하면 '도전'은 독립운동의 당위이자 신념

체계, '재전'은 독립운동의 돈줄, '언전'은 대내외 홍보전과 정보력을 의미한다. 손병희는 이런 삼전론을 기조로 천도교를 운영했다.

당시 천도교는 전국에 35개 대교구와 193개 교구 조직을 갖추고 300만 교인(천도교 측 추산)을 가진 우리나라 최대 종단이었다. 매월 올라오는 성금으로 본부인 중앙총부의 경상비를 충당하는 것은 물론 재정난에 시달리는 20여 개 사립학교 및 언론출판 사업을 도왔다. 그렇게 하고서도 매월 수천 원씩 예금할 정도로 재정 여유가 있었다.

그러나 천도교 예금은 함부로 돌려쓸 수 없었다. 일제는 진작부터 천도교의 자금을 예의 주시하고 있었다. 종교계 헌금이 독립운동 자금으로 흘러들어가는 것을 간파했기 때문이다. 이에 따라 경성 북촌 송현동 천도교 중앙총부를 관할하는 종로경찰서는 매월 천도교의 재무 회계 내용을 보고받으며 철저하게 감시했다.(천도교중앙총부 사회문화관, 〈손병희 선생과 3·1운동〉)

피눈물 묻은 독립운동 자금

일제의 매서운 감시를 피해 손병희는 3·1운동의 거사 자금을 마련하기 위한 계책을 썼다. 경운동에 새 중앙대교당과 중앙총부 건물을 짓는다는 명분으로 교호(敎戶)당 10원 이상씩 특별 건축 성금을 받기로 한 것이다.

모금운동이 시작되자 전국 교인들이 한 푼이라도 더 보태려고 발 벗고 나섰다. 집안 패물은 물론 논과 밭, 황소까지 팔아 성금을 냈다. 손병희의 부인 주옥경(1894~1982)은 "남자들은 짚신을 삼고 여자들은 삯바느질 품삯으로 모으고 모은 피눈물 나는 돈이었다"며 당시를 회고했다.

> "부인들이 아랫배에 차고 오기도 하였고, 또는 허리띠에다 누벼 오기도 하고, 여하튼 부인들의 활약이 이만저만 아니었습니다. 그렇게 많은 돈을 거두어서 독립자금에는 물 쓰듯 했습니다마는, 우리는 한국(산) 좁쌀은 먹지 못하고 호(胡, 중국산) 좁쌀을 먹었습니다."(주옥경, '독립선언 반세기의 회고', 〈신인간〉 1969년 3월호)

천도교인들의 '수상한 헌금'에 대해 일제도 그냥 지켜보지는 않았다. 기부행위금지법 위반이라는 이유로 천도교 중앙총부가 한성은행, 상업은행, 한일은행 등에 예금해놓았던 6만 6,600원(당시 쌀 한 가마는 3원)을 지급 정지해버렸다. 이미 받은 성금은 전액

교인들에게 반환하도록 강요했다. 그러나 교인들은 헌금을 돌려받은 척 가짜 영수증을 제출하거나 성금 액수를 10분의 1로 줄이는 등의 방법으로 일제의 감시를 피했다. 이렇게 해서 약 100만 원이라는 거금이 모였다. 실제 건물 건축 자금 27만여 원을 제외한 성금 대부분은 3·1독립운동과 독립군의 군자금으로 사용됐다.(천도교중앙총부 교서편찬위원회,《천도교약사》)

천도교 측은 당시 3·1운동 전후 독립운동 자금으로 최소 500만 원을 쓴 것으로 추정하고 있다. 김규식의 파리강화회의 참여 경비로 중국 상하이의 신한청년당원 김철을 통해 3만 원을 보낸 것(이광수의 증언)을 비롯해 상하이 임시정부와 만주로 보낸 군자금만도 수십만 원에 이르렀다는 것이다.('독립선언 반세기의 회고',〈신인간〉 1969년 3월호)

일제를 상대로 천도교가 치른 재전(財戰)은 민중의 마음속에 자주독립과 민족주체 정신을 깊이 새겨놓았다. 그 결과 일제에 적극적으로 항거하는 비무장 독립전쟁은 일화불매(日貨不買)운동, 물산장려운동 등 경제 민족주의운동으로 확산됐다.(김영호,〈3·1운동에 나타난 경제적 민족주의〉,《3·1운동 50주년 기념 논집》)

그러나 천도교는 이후 혹독한 대가를 치러야 했다. 3·1운동 총본부인 중앙총부는 쑥대밭이 됐다. 용산의 일본군 1개 대대가 몰려와 10여 일간 점령하는 바람에 종단 업무가 마비됐다.

손병희 이후 천도교를 이끌어갈 대도주 박인호를 비롯해 기독교 측에 3·1운동 자금으로 5천 원을 지불했던 금융관장 노헌용, 경성대교구장 장기렴, 보성사 인쇄소 감독 김홍규 등 중견 간부가 모조리 체포됐다. 중앙총부가 별도로 보관하던 120만 원의 거금은 모두 압수당했다. 성금도 4분의 1로 크게 줄어 중앙총부 직원들의 급료마저 지불하기 어려운 상황에 빠졌다. 천도교가 운영하던 보성학교와 동덕여학교 등도 운영이 어려워 경영권을 넘겨야 했다.(천도교중앙총부 교서편찬위원회, 《천도교약사》)

게다가 3·1운동에 연루된 교인들이 죽임을 당하고 가택이 다수 소실되는 등 신변까지 위협받자 탈교(脫敎)하는 사람이 속출했다. "동학(천도교)을 하면 집안이 망한다"라는 말까지 나돌 정도였다.

이와 관련해 민족대표 33인의 한 명이자 3·1운동의 핵심 기획자인 최린의 일화가 전설처럼 전해진다. 3·1운동이 마무리된 뒤 조선총독부는 손병희 사후 천도교 내 실질적 지도자인 최린을 협박했다. "일본에 협조하면 천도교를 살려둘 것이오, 협조하지 않으면 3·1운동의 주범인 천도교단을 말살하겠다"는 경고였다. 최린은 일본의 협박을 교단 원로들에게 설명하고 대책을 논의했다. 이 자리에서 최린은 최후의 결단을 내렸다.

"일본에 협조하면 내가 죽고, 협조하지 않으면 교단이 죽을 것이니, 내가 죽는 길을 택하는 게 옳을 것 같습니다."(김혁태,
'민족의 영원한 지도자, 의암 손병희 선생의 구국정신')

최린은 1929년 천도교 도령(최고 지도자)에 취임하면서 그 자신이 '죽는' 친일(親日)의 길을 걸어갔다.

3·1운동의 돈줄

3·1운동은 자금 면에서 볼 때 천도교가 운동을 주도했다고 해도 과언이 아니다. 손병희는 33인 민족대표들의 옥바라지는 물론이고 남겨진 가족의 생계를 위해 매달 1인당 10원씩 생활비를 지원했다.(이종일,《묵암비망록》) 목숨을 걸고 호랑이 아가리 속으로 머리를 내민 민족대표들의 의기(義氣)에 대한 보답이었다. 천도교가 3·1운동의 종가(宗家)라고 자부하는 것도 3·1운동을 처음부터 끝까지 책임졌기 때문이다.

33인 가운데 기독교 측 대표였던 이명룡은 이렇게 증언했다.

"우리가 출옥한 후에도 손병희 씨는 우리들의 사정을 보아

매 인당 50원씩을 주어서 당장의 곤란을 면하게 하였다." (《동

아일보》 1949년 3월 1일자)

그러나 천도교 외에 3·1운동을 지원한 '숨은' 자금원도 여럿

있었다. 준비 단계에서는 인촌 김성수가 그랬고, 조선 황족도 독

립운동 자금을 지원한 것으로 알려졌다.

대한제국 마지막 황후인 윤황후(순정효황후)는 친오빠 윤홍섭의

부탁을 받고 독립운동 자금을 마련해줬다. "황실을 부흥하기 위

한 것이 아닐지라도 돈을 융통해달라"는 요청을 받은 윤황후는

조선의 마지막 황족. 오른쪽에서 두 번째가 독립운동 자금을 댄 순종비 윤황후.

자신이 쓸 내탕금에서 10만 원을 융통해 만들어 줬다. 윤홍섭이 해공 신익희에게 넘겨준 이 돈은 상하이 임시정부 수립에 사용됐다.(유광렬, '나의 이력서', 〈한국일보〉 1974년 3월 2일자)

한편 3·1운동 과정에서 자금을 떼먹은 사람들도 있었는데, 대개 끝이 좋지 않았다. 천도교 간부들은 일제의 추적을 피하기 위해 경성의 객줏집 주인들에게 거금을 맡겨두곤 했다. 이 중 한계찬이라는 장사치는 만세운동이 끝난 후 일본 경찰에 신고하겠다고 위협하면서 돈을 가로챘다. 그는 자가용까지 사서 거들먹거리며 살았으나 나중에 가게가 폭삭 망하고 말았다.('독립선언 반세기의 회고', 〈신인간〉 1969년 3월호)

제 13 장

48인

이어지는 옥중 투쟁

1919년 6월 초, 조선총독부 기관지 〈매일신보〉 소속 기자가 경성 시내에서 전차를 타고 서대문 밖 모화관(독립문의 옛 이름) 막바지 산등성이의 붉은색 벽돌집을 찾아갔다. 인왕산 자락 아래 두 길 남짓한 담장이 육중하게 둘러싸고 있는 서대문감옥(현 서대문형무소역사관)이었다.

기자는 감옥 간수장으로부터 "(3·1) 소요사건 관계자로 현재 (수감된) 수효가 1,860여 명에 달한다"라는 말을 수첩에 받아 적었다. 경성과 각 지방에서 잡혀 온 '소요범' 가운데는 어린 여학생을 포함한 여성이 28명, 농민과 무직자 다수, 약 300명의 야소교(기독교) 신도와 적지 않은 천도교인 등 종교인이 있다는 설명도 곁들여졌다.

〈매일신보〉는 6월 10일자에 '서대문감옥의 소요 범인들이 온순하게 근신하고 있으며, 감옥의 친절한 대우에 매우 기꺼워하는

독립운동가를 가둬놓은 서대문감옥 내부와 담장. 1923년에 서대문형무소로 이름이 바뀌었다.

중'이라는 제목을 대문짝만 하게 내걸고 탐방 기사를 실었다. 독립만세운동에 참가한 사람들을 '선동'과 '소란'을 일으킨 소요범이라 부르며 애써 의미를 축소하려 시도한 것이다.

당시 서대문감옥은 〈매일신보〉의 표현처럼 소요범들로 넘쳐났다. 중범죄자들을 수감하는 미결감 독방은 3·1독립운동 민족대표들로 가득 찼다. 3월 1일 일본 경찰에 체포된 33인 민족대표 중 32명(기독교계 대표 김병조는 중국 상하이로 망명)은 이곳으로 이감돼 있었다. 수감된 민족대표들에 대한 집요한 신문 과정에서 드러난 2선 조직 17명도 잇따라 붙잡혀 왔다.

감옥은 한낮에도 어둡고 침침했다. 감옥 맨 구석 동(棟)의 북쪽 첫 독방부터 순서대로 이명룡, 이갑성, 함태영, 최남선이 수감됐다. 맞은편으로는 손병희, 오세창, 권동진 등이 나란히 한 방씩 차지하고 있었다.(서대문감옥 간수 권영준, 〈형정 반세기〉)

민족대표들은 1평짜리 독방에 갇혀 있으면서도 바깥세상 돌아가는 일을 파악할 수 있었다. 하루에도 수십 명씩 일반인과 학생들이 잡혀 오는 데다 감방마다 아침저녁으로 만세 소리가 끊이지 않았기 때문이다.

감옥에서 붙잡혀 온 이들의 호응에 감동한 민족대표들은 의연하게 수감 생활을 했다. 민족대표들은 아침저녁 점검 때 일본인 간수부장에게 무릎을 꿇고 인사를 해야 하는 감방 규칙도 무시했다. 불교계 대표 한용운은 평소 정좌 자세로 참선을 하다가도 점검 때면 편한 자세로 바꿔 앉아 간수장을 빤히 치켜 올려다보곤 했다. 감방 안에서도 독립 만세를 부르던 이갑성은 한번 들어가면 일주일간 햇빛을 볼 수 없고 이부자리도 주지 않는 '벌감(罰監)' 처분을 자주 당했다.

이갑성과 오화영 두 민족대표는 3·1운동 1주년인 1920년 3월 1일을 맞아 서대문감옥과 마포 경성감옥의 수감자들이 일제히 만세를 외치는 운동을 주도하기도 했다. 이날 정오가 되자 공장에서 일하던 기결수는 모두 일손을 멈추었고 감방 안 미결수들은 만세를 외쳤다. 1,700여 명이 부르는 만세 소리는 이웃 공덕동 일대에 번져 동리에서도 함께 따라 불렀다. 이는 민족대표들이 사상범은 물론 일반 잡범들로부터도 절대적인 존경을 받았기 때문에 가능한 일이었다.(서대문감옥 간수 권영준, 〈형정 반세기〉)

내란죄로 몰린 민족대표

감옥 생활은 결코 녹록지 않았다. 일제 고등계 형사들은 감옥을 수시로 들락거리며 가혹한 문초와 살기등등한 고문을 했다. 서대문감옥 본관 보안과청사 지하에 '취조실'이라는 팻말이 붙은

방이 대표적 고문 현장이었다. 전등 없이는 한낮에도 캄캄한 이곳 8평짜리 방은 무간지옥과 다를 바 없었다. 한쪽 벽에는 갖가지 고문 도구들이 걸려 있고, 천장 쇠고리에 달려 있는 올가미 밧줄은 사형장의 그것과 흡사했다.

고등계 형사들은 이곳에서 독립운동가들을 수시로 불러 고문했다. 온몸을 발가벗겨놓고 가죽 채찍으로 매질하기, 코에 고춧물 붓기, 시멘트 바닥에 무릎 꿇리고 구둣발로 짓밟기, 손·발톱 찌르기와 뽑기 등 악랄한 짓을 벌였다. 그들에게는 이런 행위가 일상적이며 '편리한' 취조 기술에 지나지 않았다.

그러던 어느 날 민족대표들이 극형에 처해진다는 얘기가 나돌았다. 감옥을 공포 분위기로 몰아간 소문은 빈말이 아니었다. 일제는 독립선언서 공약 3장 중 '최후의 일각, 최후의 일인까지 민족의 정당한 의사를 쾌히 발표하라'는 제2장의 문구를 물고 늘어졌다. 폭동을 선동하는 문구로 규정하고 민족대표들을 사형 선고가 가능한 내란죄로 옭아매려 했다.(손병희·최린·최남선·한용운 등에 대한 신문조서)

고문에 못 이겨 일부 민족대표가 서서히 허물어져가는 모습을 보였다. 수감 생활을 하던 천도교계 민족대표 이종일은 일기에 이렇게 기록했다.

"듣건대 고문이 점차 극심해져서 그 정도가 이를 데 없이 가혹하다. 어떤 대표는 벌벌 떨면서 방성대곡하고 있으니 이게 도대체 될 법한 일인가. 그래서 한용운이 공포에 떨고 있는 몇몇 사람에게 인분(人糞) 세례를 퍼부은 게 아닐까. 통곡하는 자 머리에 인분을 쏟아부었던 사실은 너무 유명한 일이다. 우리 민족대표가 공포에 떨거나 비열한 행동을 자행한다면 그를 따르는 우리 민중은 장차 어디로 간다는 말인가."(이종일, 《묵암비망록》)

그러나 손병희, 이승훈, 권동진, 오세창, 최린, 김창준, 홍기조, 양한묵, 신석구, 나인협, 정노식, 김도태, 박인호, 김원벽, 강기덕 등 대부분의 민족대표는 끝까지 꿋꿋한 자세를 잃지 않았다. 이종일은 일기에 그들의 이름을 일일이 기록하며 "마음 든든하다"라고 술회했다.

49명의 민족대표가 감옥에 수감된 지 3개월째 되던 5월 26일, 비보가 날아들었다. 56세를 일기로 양한묵이 급사했다는 소식이었다. 시신을 인수한 양한묵의 아들은 인력거에 상여를 싣고 북촌 계동 집으로 가던 도중 종로 사거리에서 대한 독립 만세를 미친 듯이 불렀다. 일본 경찰은 이를 간섭하지 않았고, 자세한 내용을 모르는 거리의 시민들만 어리둥절할 뿐이었다. 양한묵의 자택에서 미국인 세브란스병원장을 불러 검시를 했다. 뇌일혈이라는 진단이 나왔다.(박래원, '내가 겪은 기미년 3월 1일', 〈신인간〉 1975년 3월호)

양한묵은 차디찬 시멘트 바닥에서 고문 후유증으로 생을 마감했다. 친일신문인 〈매일신보〉가 곧장 서대문감옥을 찾아가 수감 생활을 보도한 것도 양한묵의 서거로 인한 민심 폭발을 무마하기 위해서였다.

3·1운동 이후 알려진 '민족대표 48인'은 체포돼 재판까지 받은 인물들을 가리킨다. 양한묵은 수감 중 재판도 받기 전에 사망하는 바람에 48인 명단에 포함되지 못했다. 3·1운동 이듬해인 1920년 4월 1일 창간한 〈동아일보〉는 그해 7월 12일 3면 '금일 대공판(今日 大公判)'이라는 기사에 민족대표 48인의 얼굴을 모두 실었다

옥중의 항일 투쟁

48명 민족대표 중 서대문감옥에서 가장 주목을 끈 이는 단연 만해 한용운이었다. 승려 신분인 한용운은 3·1독립운동 기획 초기에는 '초대받지 못한 손님'과 다를 바 없었다. 그는 일제 첩자라

는 의심까지 받아가면서 독립운동 거사에 자기를 끼워달라고 간청했다.(《서정주문학전집》2에 수록된 현상윤의 발언)

한용운의 진가는 옥중에서 두드러졌다. 한용운은 '변호사를 대지 말 것, 사식을 받지 말 것, 보석을 요구하지 말 것'이라는 옥중투쟁 3대 원칙을 정해놓고 '최후의 일각'까지 실천했다.

한용운은 1919년 7월 10일 검사 신문에 서면으로 답하는 '조선독립의 서'를 발표함으로써 해외에까지 명성을 떨쳤다. 참고 자료 하나 없이 옥중에서 쓴 한 편의 '논문'은 비밀리에 바깥으로 흘러나와 1919년 11월 4일 상하이 임시정부에서 발간하는 〈독립신문〉 제25호(부록)에 실렸다. 최남선 대신 자신이 3·1독립선언서를 쓰겠다고 했으나 이루지 못한 한용운의 꿈은 이 글로 실현된 셈이었다.

그의 옥중 투쟁은 〈동아일보〉 보도로 국내에도 널리 전파됐다. '한용운의 맹렬한 독립론, 국가의 흥망은 오로지 민족의 책임' '독립은 민족의 자존심'(〈동아일보〉 1920년 9월 25일)이라는 제목으로 소개된 글은 한 예에 불과하다. 그는 일약 민족적 자존심의 대변자로 우뚝 섰다. '대쪽 소신'과 '강철 기개'로 일제에 굴하지 않은 한용운은 암흑시대를 살아가는 한국인들에게 희망의 등불 자체였다.

한용운 외에도 대다수 민족대표가 일본 경찰의 고문과 고초를

3 · 1운동을 주도해 재판을 받은 민족대표 48인의 얼굴을 담은 1920년 7월 12일자 〈동아일보〉.

끝까지 견뎌냈다. 1920년 10월 30일 결심 최종 공판에서 애초 내란죄로 극형에 처해질 뻔했던 민족대표들은 보안법과 출판법 위반 등의 죄목만 적용받았다. 최고 3년형을 받은 이들은 천도교계 대표 손병희, 최린, 권동진, 오세창, 이종일, 기독교계 대표 이승훈, 함태영, 불교계 대표 한용운 등 모두 8명이었다. 3·1운동 기획 단계에 가담한 송진우와 현상윤 등은 '예비 음모'를 처벌하는 규정이 없어 무죄로 석방됐다. 조선총독부가 민족대표들을 중형으로 처벌하지 못한 데는 그 나름의 계산도 있었다. 중형을 선고할 경우 언제 폭발할지 모를 민심에 불을 지를 수 있다는 동향 분석 때문이었다.

그러나 모두들 이미 1년 7개월여의 혹독한 고문을 받은 뒤였다. 48명의 민족대표 가운데 손병희, 이종일, 박준승 등 고령의 인사들은 수감 생활 후유증으로 사망했다.

안중근과 한용운

해삼위(海蔘威, 블라디보스토크의 한국식 이름) 등 연해주는 19세기 중반부터 조선인들이 두만강을 건너가 황무지를 옥토로 일군 개척지이자, 독립투사들이 활동하던 기지였다.

한용운은 33인 민족대표로는 유일하게 연해주 지역을 방문한 적이 있었다. 1905년 봄, 한용운이 해삼위를 찾았을 때는 러일전쟁의 포성이 한창이었다. 이곳에 정착한 조선인들은 일본에 대한 적대감이 팽배했다. 해삼위 동포들은 머리를 빡빡 깎아 마치 일본인처럼 보이는 한용운을 의심하며 포용하지 않았다. 한용운은 당시 국내의 대표적 친일단체인 일진회 첩자로 오인받아 조선 청년들로부터 살해 위협까지 당했다.(고재석,《한용운과 그의 시대》)

경위는 이랬다. 첩자로 낙인찍힌 한용운은 죽기를 각오하고 해삼위 교민대표 엄인섭을 찾아가 다짜고짜 도와달라고 부탁했다. 그의 대범함에 놀란 엄인섭은 자신의 명함을 주며 통행증으로 쓰라고 말하고 빨리 귀국할 것을 권고했다. 그러나 한용운은 겨울에도 얼지 않는다는 부동항을 구경하려고 바닷가에 나왔다가 그만 조선인 청년들에게 붙들렸다. 엄인섭의 명함도 통하지 않았다. 결국 바다에 수장당하기 직전 러시아 경관들의 눈에 띄어 간신히 구조됐다. 한용운은 그 자리에 주저앉아 방성대곡을 했다.(한용운, 《한용운 전집》)

한용운의 러시아 행적을 조사한 동국대 고재석 교수(만해연구소 소장)는 "만해가 연해주행에 관해 쓴 글을 읽어보면 해삼위에서 국내외를 연계한 독립운동 가능성을 타진한 것 같다"고 말했다. 그러면서 "만해는 러일전쟁에서 러시아가 이기는 쪽에 희망을 걸고 일제에 대항하는 방법을 찾기 위해 이곳을 방문했을 것"이라고 추정했다.

한용운이 수장될 뻔한 바닷가는 금각만(金角灣)이다. 지금은 한국인 관광객들도 즐겨 찾는 이곳의 바닷바람을 맞는 한용운은 동포들로부터 버림받은 참담함을 느꼈을 것이다.

1909년 10월 26일, 한용운은 안중근이 일본의 이토 히로부미를 제거한 의거를 듣고서는 매우 감격했다. 그리고 시로 '만 석의 뜨거운 피와 열 말의 담력을 지닌' 인물이라고 안중근을 묘사하면서 그 의거를 기렸다. 한용운은 그때 분명 엄인섭과 블라디보스토크의 기억을 떠올렸을 것이다. 한용운에게 명함을 건네준 엄인섭이 1907년 안중근과 결의형제하고 의병조직인 동의회를 조직한 주인공이기 때문이다.

묘하게도 엄인섭이라는 고리를 통해 한용운과 안중근의 이미지가 중첩되는 느낌도 든다. 안중근과 한용운 두 사람은 여러 면에서 비슷한 생의 궤도를 보여준다. 1879년 동갑내기인 두 사람은 옥중에서도 일제에 굴하지 않고《동양평화론》(안중근)과〈조선독립의 서〉(한용운)라는 불후의 명작을 발표했다.

동학군 토벌에 앞장선 아버지를 두었다는 점도 비슷하다. 한용운의 아버지 한응준은 충남 홍성관아의 관리로 있으면서 1894년 동학군 토벌의 행목사(行牧使)로 활동했고(박걸순,《한용운의 생애와 독립투쟁》) 안중근의 아버지 안태훈은 황해도에서 동학군 토벌에 앞장섰다. 어쩌면 두 사람 모두 동학에 대한 부채 의식을 가졌을지도 모를 일이다.

게다가 두 사람은 자신이 신앙하던 종교 지도부로부터 배척당한 아픔도 갖고 있다. '토마스'라는 세례명을 가진 천주교 신자 안중근은 당시 한국가톨릭의 최고 지도자 뮈텔 주교로부터 '버림' 받았다. 뮈텔은 안중근이 사형 직전 요청한 성체성사마저 "이토 히로부미 처단이 잘못된 일이라고 인정할 것"을 전제로 내세워 거부했다. 안중근의 시신을 유족에게 넘겨주지 않는 일제의 행위에 대해서도 "극히 당연한 일"이라며 일본 측을 옹호했다.(천주교 명동교회,《뮈텔 주교 일기》) 일제에 의해 매장된 안중근의 유해는 아직도 행방불명이다.

불교 승려인 한용운도 마찬가지였다. 당시 일본 불교계와 긴밀한 관계를 맺고 있던 불교 지도층은 3·1독립운동에 앞장선 한용운과 불교 교육기관인 중앙학림 학생들을 외면하면서 이렇게 발표했다.

"중앙학림 강사 한용운과 해인사 승려 백용성 2명은 천도교의 간부와 내통해서 (독립)선언서에 서명했으나 30본산 사무소의 최고간부들은 하등 관계없다. 따라서 불교도 중에서 불령자(不逞者)로 주목할 자들은 중앙학림 학생 일부와 전기(前記) 서명자 2명과 친교 있는 자들 및 그들의 궤변에 편승한 소수의 승려에 지나지 않는다."

이처럼 여러 공통점을 지닌 두 사람은 살아생전에 서로 만나지는 못했다. 역사에 '만약'이라는 말은 없다지만 만일 엄인섭이 자신의 외삼촌이자 '연해주 독립운동의 대부'로 통하는 최재형에게 한용운을 만나게 해주었다면 이야기가 달리 전개됐을지도 모른다. 당시 해삼위 최고의 갑부였던 최재형은 자신의 전 재산과 목숨을 독립운동에 내놓았던 애국지사였고, 안중근의 의거를 위해 자금을 댄 인물이다. 그런 최재형이 투사 성향이 강한 한용운의 인물됨을 알아보았다면 모른 척하지는 않았을 터다.

그러나 역사의 시계는 한용운보다 뒤늦게 해삼위를 찾은 안중근에게 해외에서의 '대업'을 부여했다. 여비도 다 떨어진 한용운은 블라디보스토크를 출발해 크라스키노 등을 지나 두만강을 건너 걸어서 국내로 돌아온 후 3·1만세운동의 주역이자 33인 민족대표로 '꺼지지 않는' 민족의 등불이 됐다.

제 14 장

오판

무너지는 일본의 확신

1919년 3월 1일의 독립만세운동으로 한반도를 무단통치하던 일제는 크게 흔들렸다. 1910년 한반도를 강제 병탄한 이후 경성에서 처음 겪는 대규모 거리 시위와 군중의 열광적인 만세 함성으로, 치안을 담당하던 일본 경찰은 기가 눌렸다. 어떻게 대처할지 몰라 거리 좌우에서 우두커니 서 있을 따름이었다.(현상윤, 〈3·1운동 발발의 개략〉)

일본인들은 그간 한국인들을 얕잡아보았다. '게으른 조센진' 혹은 '비겁한 조센진'이라는 욕설을 늘어놓으며 한국인들을 억압하고 굴욕감을 주었다. 그리고 방심했다. 당시 조선총독 하세가와 요시미치는 3·1운동 발발 수개월 전 일본 국왕 다이쇼(大正)에게 한국의 정황을 이렇게 보고했다.

민중은 일제히 제국(일본)의 위세를 신뢰하여 업(業)에 힘쓰

고 산(産)을 다스려 전도(全道) 의연(依然) 극히 정밀함.(《齋藤實

文書》 문서번호 423-1)

조선총독부가 한국인들을 잘 다스리고 있어서 조선이 매우 평
온하다는 내용이었다. 조선총독부는 한국에서 완벽한 식민통치
체제를 구축해놓았다고 본국에 자랑했다. 그렇게 판단할 만도
했다.

일제는 안악 사건(1910년)과 105인 사건(1911년) 등을 통해 국
내의 독립운동 조직을 거의 괴멸하다시피 했다. 특히 105인 사건
으로 인해 국내의 많은 민족운동가들이 일제로부터 극심한 탄압
을 받았다. 105인 사건은 일제가 1911년 서북 지방의 대표적인
항일운동단체인 신민회를 붕괴하기 위해 일으킨 희대의 조작 사
건이다. 일제는 초대 조선총독 데라우치 마사타케 암살을 모의했
다고 날조해 신민회 인사 중 105인에 대해 실형을 선고했다. 이
날조극으로 인해 조사 과정에서만 무려 7명이 고문으로 사망하
거나 정신이상 증세를 보였다. 33인의 민족대표 중 이승훈, 양전
백, 이명룡이 이 사건으로 옥고를 치렀다.

일제는 이후 무소불위의 헌병경찰을 내세워 한국인들을 물샐
틈없이 감시하고 통제해왔다. 국외는 어떨지 몰라도 국내의 한국
인들만큼은 총독부 위력에 모두 굴복해 다시는 감히 민족운동을

일으키지 못할 것이라고 과신하고 있었다.(윤병석, 〈3·1운동에 대한 일본 정부의 정책〉, 《3·1운동 50주년 기념 논집》)

3·1운동은 바로 그런 일제의 확신을 무너뜨렸다. 일본 헌병과 경찰을 보기만 해도 저절로 어깨를 움츠리고 고개를 숙이던 '순한' 한국인들은 온데간데없었다. 3·1운동에 나선 한국인들은 일본 경찰 앞에서 독립 만세를 목청껏 외쳤다.

만세운동 시위대가 경성 시내 곳곳을 누비는 동안 삽시간에 그 수가 수만 혹은 십수만 명으로 불어난 것도 일제에게는 충격이었다. 당시 경성은 3월 3일로 예정된 고종 황제의 인산 참관 차 모여든 사람들로 인해 홍역을 치르고 있었다. 전국 각지에서 출발한 경성행 임시열차가 뻗들이로 도착했고, 남대문역 출구로 인파가 폭포수처럼 쏟아져 나왔다. 이미 200여 개의 경성 여관은 초만원이었다. 숙소를 잡지 못한 지방 사람들은 연줄이 닿는 친지나 하숙집을 찾았고, 대부분의 경성 사람들은 손님 접대로 정신을 차릴 수 없을 지경이었다. 그마저 구하지 못한 사람들은 아예 도로에서 노숙까지 했다. 국상(國喪) 중이어서 거리는 온통 흰옷 일색이었다. 남자는 흰 베를 두른 갓에 흰 두루마기를 입었고, 여자는 흰 저고리에 흰 치마 차림이었다.(이희승, 〈내가 겪은 3·1운동〉, 《3·1운동 50주년 기념 논집》)

바로 이들 한국인이 탑동공원에서 독립선언서를 낭독한 학생 시위대가 거리로 나오자 기다렸다는 듯이 합세했던 것이다.

만세운동은 적절히 절제되었으며 조직적이기까지 했다. 시위 선동 역할을 맡은 '만세꾼'들은 현장에서 일사불란하게 움직였다. 학생들이 주축을 이룬 만세꾼들의 주도로 시위대는 조직적으로 여러 갈래로 나뉘어 독립 만세를 외쳤다.

시위대를 지지하거나 응원하는 열기도 뜨거웠다. 3·1운동 기획 단계부터 참여했던 중앙학교 교사 현상윤은 이 역사적 현장을 끝까지 지켜보고 있었다.

"탑골공원에서부터 만세성(萬歲聲)이 일어나는데 순식간에 장안을 뒤집어놓은 것같이 천지를 진동했다. 시내 전체가 문자 그대로 홍진만장(紅塵萬丈)이 되었다. 거리를 다녀보니 시가는 전부 철시(撤市)했고, 가가호호에서는 납세 거절을 부르짖었으며, 각 가정에서는 관공리(官公吏)들이 사표를 쓰느라고 바빴으며, 학교 등에서는 앞을 다투어 스트라이크(파업)를 일으켰다."('왕년의 투사들 회고담', 〈동아일보〉 1949년 3월 1일자)

당황한 총독부

상황이 여기까지 치닫자 일본 경찰과 헌병들은 처음에는 국제적인 성원으로 말미암아 한국이 진정으로 독립되었는지도 모른다는 듯한 태도까지 보였다. 그러나 자기네 본국에 알아보고 국제적인 정보도 받아보았던지 오후 늦게부터는 태도가 확연히 달라졌다. 우선 거리에 일본 군대의 행렬이 나타났다. 일본군은 용산 방면에서 와서 시중의 큰 거리를 돌아다니고 있었다. 그러나 일반 군중과 충돌할 의사는 없었고, 다만 시위에 지나지 않는 처사같이 보였다.(이희승, 〈내가 겪은 3·1운동〉, 《3·1운동 50주년 기념 논집》)

실제로 일제는 3·1운동을 사전에 감지하지 못해 한동안 허둥거렸다. 후일 총독부 정무총감 야마가타 이사부로(山縣伊三郞)는 3·1운동 상황을 본국에 보고하는 자리에서 "원인은 여하튼 여차(如此) 사건 발발을 전혀 감지하지 못한 것은 조선총독의 실체(失體)라고 말할 수밖에 없다"는 총리 하라 다카시(原敬)의 추궁까지 들어야 했다.(《원경일기(原敬日記)》1919년 3월 29일)

조선총독부는 3·1운동의 성격에 대해서도 처음에는 '가벼운 소요' 정도로 파악했다. 3·1운동이 발발하자 긴급히 한국을 다녀온 체신대신(遞信大臣) 노다우타로(野田卯太郞)는 총리 하라 다카시에게 "금회(今回) 조선에서의 독립 소요는 총독부에서 지금 조금 착수하면 대사(大事, 큰일)에 이르지 않을 것"(《원경일기》 1919년 3월 6일)이라고 보고했다.

일제는 이른바 일부 '불령자'들이 민족자결주의 영향을 받아 일시적으로 대중을 선동한 시위이기 때문에, 주동자만 체포해 처벌하면 진압될 것으로 보았다. 민족대표들을 체포한 데 이어 3·1운동 당일 해가 진 무렵부터 130여 명의 만세운동 주동자를 체포했고, 이를 통해 '가벼운 소란'이 잠잠해질 거라 오판했던 것이다.

일제가 정작 두려워한 것은 국제 여론이었다. 한국을 무단통치하던 일제는 1919년 1월 28일부터 열린 프랑스 파리의 파리강화회의에서 한국 문제가 거론되는 것을 원치 않았다.

파리강화회의는 미국 윌슨 대통령의 민족자결주의 주창으로 제국주의에 의해 식민지가 된 나라를 독립시키는 문제를 주요 의제로 다루는 회의였다. 제1차 세계대전 후 새로운 국제질서와 세계지도를 그리는 중차대한 회의였다. 일제는 이 회의에서 한국의 독립 문제는 물론 한국에 대한 동정 여론조차 원천 봉쇄하려 했다.

일본에서 발행하는 영자 신문인 〈저팬 크로니클(The Japan Chronicle)〉이 3·1운동 관련 기사를 모아 펴낸 책에서는 당시 일본 수뇌부의 인식이 이렇게 기록돼 있다.

사건의 발단은 이조(李朝)의 사실상 마지막 황제 고종의 인
산일을 이틀 앞둔 3월 1일부터 시작됐다. 그러나 소요의 기
미가 있는데, 설사 독립운동과 같은 사건이 한국에서 일어
나더라도 이에 대해 일체의 보도를 하지 말라는 경시청장의
통고문을 접수한 것은 이보다 앞선 1월 28일의 일이었다. 2
월 14일에도 한국인의 선언문(도쿄의 2·8독립선언서를 가리킴)
에 대한 보도 금지를 요구하는 명령이 내려졌다. [《한국의 독립운
동(The Independence Movement in Korea)》 서문]

일제는 프랑스에서 파리강화회의가 개최되는 바로 그날인 1월
28일부터 일본 본토의 자국 신문은 물론 외국계 신문에까지 엄격
한 보도 통제령을 내리고 있었던 것이다.

이 같은 속사정 때문에 일제가 3·1운동 첫날 한국인들에 대해
가혹한 탄압이나 살상으로 문제를 확산하려 하지 않았던 것으로
추정되기도 한다.

그러나 3·1만세운동은 일제의 예상과 달리 시간이 갈수록 열
기가 뜨거워지고 전국적으로 확산됐다. 시위대들은 일본군의 위
협적인 시위 진압 행렬 앞에서도 굴하지 않았다.

결국 일제는 야만적이고 이중적인 본성을 드러내기에 이른다.
일본 총리 하라가 조선총독 하세가와 요시미치에게 보낸 긴급 전

보에서 이를 확인할 수 있다.

> 이번 소요 사건은 안팎으로 표면상 극히 경미한 문제로 간주되도록 주의할 필요가 있다. 그러나 실제적으로 엄중한 조치를 취해 장래 또다시 발생하지 못하도록 할 것이며, 다만 조치를 취하는 것에 대해서는 외국인이 가장 주목하는 문제이므로, 잔혹한 탄압이라는 비판을 받지 않도록 충분히 주의하기 바란다. (하라 내각총리대신이 하세가와 총독에게 보낸 지급 친전 전보, 1919년 3월 11일자)

일본 총리는 외국인의 주목과 비판을 피해가면서 한국인들을 진압하라고 명령한 것이다.

국제 외교 전쟁

한편 파리강화회의에서의 한국 독립 문제 거론은 3·1운동의 민족대표들이 가장 절실히 원하는 목표이자 과제였다.

1919년 2월 1일 한국을 대표한 김규식은 파리강화회의에 참석하기 위해 상하이에서 배를 타고 인도양을 건너가는 선상에서 한국의 독립선언 소식을 전해 들었다. 그는 한국이 독립이나 된 듯이 열광했다. 그러나 파리로 달려가는 바쁜 마음과는 달리 배는 3월 13일에 파리의 항구에 도착했다.(이정식, 《한국민족주의의 정치학》)

김규식이 파리로 향하는 사이 민족대표들은 3·1독립선언서와 독립청원서 등을 파리강화회의에 참석한 세계 각국 대표단에게 전달하기 위해 전력을 기울였다. 3·1운동 거사의 주된 목적이 거족적인 한국인의 독립 의지를 세계만방에 호소하는 것이었기 때문이다.

이에 따라 3·1운동 하루 전인 2월 28일, 국내 민족대표들은 김지환을 중국으로 파견했다. 민족대표 48인 가운데 한 명인 김지환은 기독교 측 대표 함태영으로부터 독립선언서와 독립청원서 등의 문서를 전달받은 뒤 중국으로 출발했다. 김지환은 3·1운동 당일 기차로 신의주까지 도착했으나 일본 경찰의 감시가 워낙 삼엄해 압록강 철교를 도보로 건너 안동현(현재 중국 단둥)에 도착할 수 있었다. 거기서 국내외 독립운동가들의 연락 거점인 김병농 목사 가족을 통해 상하이에서 대기 중인 현순 목사 앞으로 우편물로 발송한 뒤 귀국하다가 결국 일본 헌병에게 검거됐다.

당시 민족대표들은 독립선언서의 발각과 탈취 등을 우려해 김지환을 통한 독립선언서 전달 외에도 별도의 경로를 통해 독립

상하이 임시정부 요인들.

선언서를 해외에 보냈던 것으로 보인다. 김지환보다 앞서 중국에 파견됐던 현순이 2월 26일 봉천(펑톈, 현 선양)에서 천도교 인사 최창식을 만나 천도교 측 민족대표 최린이 보낸 3·1독립선언서 초안 필사본을 건네받았기 때문이다.

상하이의 프랑스 조계에서 한국인 비밀조직(동제사의 청년조직인 신한청년당으로 추정)의 보호 속에 있던 현순은 3·1운동이 전개되는 순간, 3·1운동 소식을 전 세계에 알릴 외교 및 통신 역할을 맡고 있었다.

3월 1일 최창식과 함께 상하이에 도착한 현순은 이튿날인 2일 밤 동제사의 수장 신규식과 요원 이광수 등을 만나 독립선언서를 확인했다. 중국과 한반도에서 활동하던 독립운동가들은 오랜 작업 끝에 완성한 독립선언서를 보고 감격에 겨워했다.

영어는 물론 중국어와 일본어에 능통한 현순은 독립선언서 등을 영어와 중국어로 번역했다. 이 작업에는 2·8독립선언서 작성의 주역인 이광수와 동제사 요원이자 신한청년당원 조동호(《중화신보》 기자)가 함께 참여했다.(피터 현, 《만세!》)

1919년 3월 4일, 드디어 한국의 독립운동 봉기 소식이 중국 상하이에서 외국인을 대상으로 하는 영문 일간지 〈차이나 프레스(대륙보)〉에 게재됐다. 기사는 '서울의 소요 사태 전국에서도 확대'라는 제목으로 1면에 배치됐다. 3·1운동이 전 세계에 처음으

3·1운동을 알린 외신 보도가 실린 〈차이나 프레스(대륙보)〉 1919년 3월 15일자. (사진 제공: 한시준 교수)

로 알려진 시발점이자 일제가 가장 두려워하던 일이 터져버린 역사적 순간이었다. 3·1운동이 전 세계에 공식적으로 알려지는 순간 상하이의 독립운동 지사들은 흥분과 감격에 휩싸였다.

현순 등은 상하이 주재 세계 통신사 및 중국계 신문사에 독립선언서를 발송한 뒤 외국 기자들과 한 인터뷰에서 한국의 독립선언과 독립 의지를 밝혔다. 또 파리강화회의에 참석하는 각국 대표단과 미국 대통령 윌슨 앞으로도 독립선언서와 청원서 등을 영문 전보로 보냈다.

한편 현순은 영국의 한 기자에게 3·1운동의 현장 취재를 부탁했다. 실제로 〈차이나 프레스〉 3월 15일자에는 영국 기자로 추정되는 인물이 한반도를 취재하고 온 내용이 다음과 같이 실렸다.

"한국의 독립운동은 일본 당국이 공식 발표했던 일반적 시위 수준을 훨씬 넘는 것으로 계급을 불문하고 거국적으로 이 운동에 참여했다."

"독립선언서는 한국이 모든 국제권리에 의거해 자주국이며 4천 년 역사가 이를 증명한다고 말한다. 이는 한국인들에게 일어나 독립을 위해 평화 시위를 하라고 촉구하며 어떤 상황에서도 폭력을 쓰지 말라고 요청한다. 이 선언서는 위엄

이 있고 힘차며, 선언서에 묘사된 한국인들이 겪은 고통과
수모는 공분을 일으킨다."

〈차이나 프레스〉 기사는 당시 우리 민족의 품격과 저력을 높게
평가했다. 〈차이나 프레스〉 외에도 〈북화첩보(北華捷報)〉, 중국
국민당 기관지 〈민국일보(民國日報)〉 등 중국의 대다수 언론이 한
국의 3·1운동 보도 행렬에 합류했다.

한편 이로 인해 국내에 남아 있던 독립운동가 가족들은 일제로
부터 혹독한 대가를 치러야 했다. 현순의 아내(이성녀)는 일제로부
터 남편의 소재를 밝히라며 잔인한 고문을 당했다. 그리고 1968
년 사망할 때까지 고문 후유증에 시달려야 했다.(데이빗 현,《현순목
사와 대한독립운동》) 외국 혹은 외국인과 접촉한 혐의가 짙은 민족
대표들 또한 감옥에서 더욱 심한 고문을 감수해야만 했다.

이름	생년	출신지	주요 활동
현순	1878	경기 양주	기독교 목회 활동을 하다가 3·1운동의 민족대표 자격으로 중국 상하이에 밀파돼 독립운동을 세계에 알리는 역할을 했다. 1919년 4월 임시의정원 활동 등으로 임시정부 설립에 기여했고 임시정부 외무차장, 내무차장 등을 역임했다. 1920년 이승만이 미국에서 구미위원부를 설치하자 미국으로 건너가 외교 활동을 했다. 1968년 사망.
이희승	1896	경기 광주	1918년 중앙고등보통학교를 졸업했고 3·1운동이 일어나자 지하신문을 제작해 배포하는 등으로 만세운동에 참가했다. 한글학자 주시경의 영향을 받아 조선어연구회 등 우리말 사용 운동을 하다가 1942년 조선어학회 사건으로 옥고를 치렀다. 광복 후 서울대 교수, 동아일보사 사장 등을 지냈다. 1989년 사망.

호소

월슨에게 외친 독립선언서

한국 독립운동 조직이 1919년 1월 열린 프랑스 파리강화회의에 처음으로 제출한 한국 독립 관련 문서는 미국 국립문서기록관리청(NARA)에 보존돼 있다. 프랑스어로 표기된 '한국 독립청원서'가 바로 그것이다. '파리강화회의 미국 대표단 문서철'이란 이름으로 보존돼 있는 이 독립청원서는 4쪽 분량으로, 프랑스어 원본과 함께 영어 번역본이 수록돼 있다. 1919년 1월 25일자로 작성된 이 독립청원서는 수신자를 미국 대통령인 '우드로 윌슨'으로 지정하고, 발신자를 '신정(Shinjhung), 김성(Kimshung)'으로 연명 표기했다.

신정(申檉)은 1910년대 한국 독립운동에서 가장 '비밀스러운' 조직으로 꼽히는 동제사의 수장 신규식의 중국 이름이며, 김성(金成)은 동제사 요원 김규식의 다른 이름이다. 신규식과 김규식은 중국 상하이에서 각각 한국공화독립당(The Korean Republican

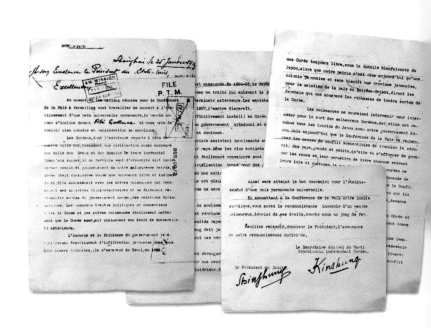

미국 윌슨 대통령에게 보낸 독립청원서. (미 국립문서기록관리청 보관)

3·1운동 100년 – 역사의 현장 1

Independence Party) 총재(President)와 사무총장(Secretary General) 자격으로 청원서를 작성했고, 김규식은 그해 3월 한국 대표 자격으로 파리강화회의에 참석 중이던 미국 대표단 혼벡(S. K. Hornbeck)에게 이 문서를 직접 전달했다.

이 같은 사실은 지금까지 알려진 한국 대표의 파리강화회의 파견 내용과는 상당한 차이가 있다. 임시정부 부주석까지 지낸 김규식은 중국 상하이에서 급하게 조직된 신한청년당 대표 자격으로 파리강화회의에 파견된 것으로 알려져왔다. 신한청년당 설립을 주도한 여운형 등이 김규식을 대표로 선정했고, 1918년 11월 상하이에서 장덕수 등과 함께 독립청원서를 작성한 후 파리로 떠나는 김규식에게 전달했다는 것이다. 또 여운형은 미국 대통령 특사 자격으로 상하이를 방문한 찰스 크레인을 통해서도 미국 윌슨 대통령에게 독립청원서를 보냈다고 한다. 여운형이 크레인에게 전달한 편지 및 청원서는 현재 컬럼비아대학 크레인 가족 문서철에 소장돼 있다.

그러나 미국 국립문서기록관리청에서 발견된 독립청원서는 신한청년당 총무 여운형의 이름으로 제출한 독립청원서가 아니다. 청원서 작성 주체도 신한청년당 대신 '한국공화독립당'이라는 새 당명이다.

독립청원서의 내용 전개도 여운형 등이 작성한 독립청원서와 구조가 다르다. 3·1운동 발발 전후로 작성된 여러 종류의 독립청원서들은 대개 한민족의 위대한 역사, 일제의 부당한 합병, 한국 독립의 당위성을 호소하는 서술 구조를 갖고 있다. 이와 달리 프랑스어 독립청원서는 파리강화회의에서 영국과 프랑스 등 승전국이 같은 연합국의 일원인 일본에 대해 우호적인 태도를 취할 것을 매우 경계하는 내용을 담고 있다.

> 외국 열강은 일본이 한국에서 어떻게 통치하는지 알지 못한다. 가혹한 검열로 모든 뉴스가 외부 세계에 도달하지 못하고 있다. 이들(외국 열강)은 일본의 자애로운 보호하에서 아마도 한국이 여전히 자유롭다고 믿고 있다. …… 열강들은 일본이 우리 정부를 몰락시킨 모든 조약을 승인했기 때문에 불행한 한국인들을 위해 개입할 수 없다.

그러니 미국이 주도하는 파리강화회의에서 '민족자결'과 '영구적 세계평화'의 정신에 입각해 한국의 독립을 보장해달라는 호소였다.

신규식과 여운형의 신한청년당

청원서에 '총재'로 기재된 신규식은 독립운동가 중에서도 가장 베일에 싸인 인물로 평가받고 있다. 카이저수염으로 유명한 신규식은 1905년 을사늑약 체결 당시 죽음으로 항거하려 극약을 마셔 자결을 시도했으나 가족들에게 발견되어 목숨을 건졌는데, 불행히도 그 일로 오른쪽 눈이 상했다. 그는 '애꾸눈으로 왜놈들을 흘겨본다'는 의미의 예관(睨觀)이라는 호를 사용했다.

그는 1912년 비밀 결사조직인 동제사를 설립해 실질적으로 독립운동을 지도하는 한편으로 국제 외교무대에서 한국의 독립 문제를 부각시키는 데 열성적으로 활동해왔다. 1915년 이상설 등과 함께 신한혁명당을 조직해 국외 독립운동을 펼친 바 있고, 1917년 7월 조소앙 등과 함께 대동단결선언을 발표한 데 이어 한 달 뒤인 8월에는 상하이 거주 한국인들이 조선사회당 명의로 스웨덴 스톡홀름에서 개최한 만국사회당대회에서 조선 독립을 요청한 일에 주도적으로 관여했다. 미국의 이승만에게 파리강화회의에서 국제 여론을 일으키도록 외교 교섭을 전개해달라는 편지를 보낸 것도 바로 그였다.(《한민족독립운동사》3, 3·1독립선언 이전의 독립운동)

파리강화회의에 한국 대표로 참석한 김규식(앞줄 맨 오른쪽)과 사무 보조원들.

따라서 프랑스어 한국 독립청원서는 동제사의 핵심 인물인 신규식과 김규식의 활약상을 보여주는 하나의 단서라고 할 수도 있다. 3·1운동 민족대표 33인 중 한 명인 오세창은 "3·1운동은 예관(신규식의 호)에 의해 점화됐다"라고까지 말한 바 있다.

이 같은 오세창의 평가는 나름의 근거가 있다. 제1차 세계대전 후 윌슨의 민족자결 주창과 전후처리 문제를 논의한 파리강화회의는 일본 도쿄의 2·8독립선언, 국내의 3·1운동 등을 자극하는 중요한 요인으로 작용했으며, 특히 파리강화회의의 한국 대표 참석은 국내외 독립운동을 하나로 모으는 구심점 역할을 했다. 따라서 동제사 수장 신규식 등이 파리강화회의에 처음으로 제출한 독립청원서는 3·1운동과 직접적으로 이어지는 연결고리가 되는 것이다.

김규식과 신규식은 매우 정교한 기획과 준비 작업을 거쳐 시간 안배를 적절하게 하면서 조직적으로 독립운동을 펼쳤다.(정병준, 〈1919년, 파리로 가는 김규식〉) 실제로 이 일을 구체적으로 성사시킨 데는 동제사의 청년 전위조직이라고 할 수 있는 신한청년당의 역할이 컸다. 여운형, 장덕수, 김철, 선우혁 등이 발기해 조직한 신한청년당은 터키청년당을 본떠 주로 20세 이상 40세 이하의 남녀(당헌에는 20세 이상의 남녀)를 당원으로 두었다.

신한청년당 당원으로 활약했던 류자명은 신규식, 여운형, 신

국권 등이 상하이에서 신한청년당을 조직하였다고 회고한 바 있다.(류자명,《나의 회억》) 이에 따르면 동제사 수장 신규식이 여운형이 주도하는 신한청년당의 활동을 인지하고 지지했다는 뜻이 된다. 동제사의 젊은 요원들 등 상당수가 신한청년당에 합류한 데도 이 같은 배경이 작용했을 것이다. 이 때문에 신한청년당 당원들이 국내외에 파견돼 독립운동을 할 때 이미 국내외에 상당한 영향력을 행사하고 있던 동제사 요원들의 활동으로 해석됐을 소지가 컸다.(정병준,〈중국 관내 신한청년당과 3·1운동〉)

청년당원들의 맹활약

신한청년당 핵심 당원들은 국내, 일본, 만주, 노령에서 김규식의 파리강화회의 파견을 후원하기 위한 선전 및 모금 활동을 열렬히 펼침으로써 국내외에서 2·8만세운동과 3·1운동이 폭발할 수 있는 기폭제를 제공했다.(정병준,〈3·1운동의 기폭제〉)

비록 신한청년당 설립(1918년)을 주도한 여운형의 독립청원서가 파리강화회의에 최종 제출되지 못한 것으로 여겨지지만, 파리강화회의를 전후한 신한청년당원들의 활약은 실로 눈이 부실 정도였다.

동제사 요원이자 신한청년당 핵심 당원인 장덕수는 부산에서 백산상회를 운영하던 안희제(1885~1943)로부터 2천 원의 거금을 지원받았다. 안희제는 장덕수를 통해 상하이의 독립운동 소식을 듣고 파리강화회의에 파견된 김규식 일행의 활동비로 기꺼이 돈을 내놓았다.(이경남,《설산 장덕수》)

또 장덕수는 밀명을 받고 일본 도쿄에 잠입해 2·8독립선언의 주역 중 한 명인 김도연에게 이렇게 조언했다.

"이번 독립운동은 국내외가 다 같이 호응해야 할 것이다. 상하이의 대한청년독립단(신한청년당)과 연결 관계를 가지고 해내(海內) 해외(海外)가 일치하게 거사함이 좋을 것이다."(김도연,《나의 인생백서》)

장덕수는 이처럼 상하이와 일본, 국내의 연대를 통해 민족적 운동을 극대화하려 노력했다.

동제사 요원이자 신한청년당원 선우혁은 독립운동 자금을 확보하는 데 커다란 역할을 했다. 1919년 2월 초에 국내로 잠입한 선우혁은 평안북도 선천의 양전백, 정주의 이승훈, 평양의 길선주 등 기독교 지도자들을 비밀리에 만나 독립운동에 대해 설명했다. 그는 윌슨의 민족자결주의를 거론하며 재미동포는 이승만 등 3명의 대표를 파리에 파견하고, 상하이동포는 김규식을 대표로 파견한다면서, 이를 후원하기 위한 독립운동의 실행과 운동비 모집을 권유했다. 이에 이승훈은 오산학교 교사들의 월급을 주기 위해 전답 25마지기를 팔아 만든 5천 원을 선뜻 내주기까지 했다.(김양선, '3·1운동과 기독교계',《3·1운동 50주년 기념 논집》)

한편으로 선우혁은 경성의 중앙학교 운영자 김성수로부터 1천여 원을 전달받아 파리강화회의 활동비에 보탤 수 있었다.(현상윤, 〈3·1운동 발발의 개략〉) 당시 도쿄 유학생들의 한 달 치 생활비가 평균 20원인 점을 감안하면 모두 상당한 거금이었다.

김철 역시 1919년 2월 경성으로 잠입해 자체적으로 독립운동을 준비하고 있던 천도교 측으로부터 1만 원을 제공받았다.(현순, 《현순자사》) 천도교 측 기록에 따르면 손병희가 김철에게 3만 원의 송금을 약속했다고 한다.(의암손병희선생기념사업회,《의암 손병희 선생 전기》)

신한청년단 총무를 맡은 요원 여운형은 연해주 블라디보스토크로 건너가 지역 지도자들을 만나 독립운동을 논의했다. 당시 블라디보스토크와 우수리스크 등 연해주 지역에서는 한인 지도자들이 모여 파리강화회의에 대표를 파견하는 일을 논의하는 등 독립운동 움직임이 활발히 전개되고 있었다. 연해주에서는 이미 고창일, 윤해 등을 파리로 파견하기로 하고 지역 한인들로부터 비용까지 각출한 상태였다. 그 대신 여운형은 시베리아 체코군 사령관 가이다 장군과 회견하고, 미·영·캐나다 3군사령부를 방문해 일본의 한국정책을 규탄하는 수만 장의 전단을 연합군에 뿌리는 등 국제 외교전에 몰두했다. 여운형은 3월 6~7일경 하얼빈의 러시아인 여관에서 머무는 동안 국내에서 독립만세운동이 일어났다는 이야기를 처음으로 들었고, 부랴부랴 상하이로 돌아왔다. 상하이에 도착한 여운형은 파리로 향할 계획을 갖고 있었지만 동생 여운홍이 대신했다.

신한청년당의 이 같은 활동은 도쿄 2·8독립선언과 국내 3·1독립선언 촉발에 큰 영향을 미쳤다.(강덕상, 《여운형 평전》 1) 상하이에서 발간한 〈독립신문〉도 신한청년당이 파리, 일본, 노령, 국내에서 활동한 결과를 높이 평가했다. 이처럼 해외와 국내가 서로 영향을 주고받은 독립선언 운동은 이후 상하이 임시정부 탄생이라는 대성취를 이뤄냈다.

한편 파리에서 제출한 독립청원서에 대한 당시 미국 측 반응은 소극적이었다. 김규식은 1919년 3월 13일 파리에 도착한 뒤 윌슨 미국 대통령 앞으로 보내는 독립청원서를 직접 파리의 미국 대표부에 전달했다. 그러나 미국 대표단은 1919년 3월 말 대책회의 결과 "미국은 일본의 한국 병합을 승인했으며, 현재 이 문제는 미국 대표단에 제출할 사안이 아니다"라고 답했다. 미국 측은 당시로서는 한국 대표를 만날 필요가 없다고 판단했으나 미래에 활용할 경우를 생각해 청원서를 보관했다.

제15장 〈호소〉 관련 주요 인물 (참고 자료: 정병준, 〈중국 관내 신한청년당과 3 · 1운동〉)

이름	생년	출신지	동제사 관련	신한청년당 관련	임정 내 역할
김규식	1881	경남 동래	동제사 요원/ 박달학원 교사	이사장	외무총장/ 구미위원장
김순애	1889	황해 장연		국내 파견 (김규식 아내)	대한애국부인회
김철	1886	전남 함평		창당 발기/이사/ 국내 파견	교통차장/의원
류자명	1894	충북 충주		비서/국내 파견 (의열단)	
박은식	1859	황해 황주	총재	〈신한청년〉 주간	국무총리/대통령
서병호	1885	황해 장연		이사/국내 파견 (김규식의 동서)	내무부 지방국장
선우혁	1882	평북 정주	동제사 요원	창당 발기/국내 파견	교통부 차장
여운형	1886	경기 양평		창당 발기/ 이사/러시아 파견	외무부 차장
여운홍	1891	경기 양평		파리 파견	의정원 의원
이광수	1892	평북 정부	동제사 요원	〈신한청년〉 주필	의정원 서기
장덕수	1894	황해 재령	동제사 요원	창당 발기/ 일본 파견	
조동호	1892	충북 옥천	동제사 요원	창당 발기/이사	국무위원
조용은 (소앙)	1887	경기 양주	동제사/ 박달학원		국무원 비서장/ 의원
한진교	1887	평남 중화	동제사 요원	창당 발기/이사	의정원 의원

제 16 장

비폭력

맨손으로 총칼에 맞서다

"모든 성공적인 혁명은 썩은 문을 두드리는 것이다." (존 케네스

갤브레이스, 《불확실성의 시대》)

부패한 사회체제는 살짝 건드리기만 해도 무너진다는 의미를
담고 있는 문장이다. 미국 경제학자 갤브레이스가 내건 성공적
혁명의 조건으로 보면 3·1운동은 무모한 행동이자 실패로 가는
길이었다. 1919년 일제의 식민지배체제는 '썩은 문'이기는커녕
난공불락의 철옹성이었기 때문이다. 당시 일제는 제1차 세계대
전 전승국의 일원이자 세계 5위권의 군사력을 가진 군사 강국이
었다. 반면 한국은 일제의 무단통치 아래서 철저하게 무력을 해
제당한 상태였다.

3·1운동에서 33인 민족대표들은 그 철옹성을 무너뜨리는 수
단으로 '비폭력'을 선택했다. 3·1독립선언서의 공약 3장은 '일체

의 행동은 가장 질서를 존중하여 오인(吳人)의 주장과 태도로 하여금 어디까지든지 광명정대하게 하라'고 하며 비폭력 평화 원칙을 강조했다. 민족대표들은 일본 경찰에게 체포돼 끌려가면서도 '유언처럼' 이를 당부했다.

> "조선 민족대표 제씨(諸氏)는 최후의 일언(一言)으로 동지에게 고하기를, 우리는 조선을 위하여 생명을 희생으로 바치노니 우리 신성한 형제는 우리의 본래 뜻을 관철하여 몇 년 며칠까지든지 우리 2천만 민족 최후의 한 사람이 남더라도 결단코 난폭한 행동이나 파괴적 행동으로 하지 말 것이다. 한 사람이라도 난폭적이고 파괴적 행동을 하면 이는 천고에 구제할 수 없는 조선을 만들 것이니 천만 주의하고 보중(保重)할지어다."(《조선독립신문》제1호, 1919년 3월 1일자)

민족대표들이 강조한 평화적 비폭력 운동은 일제에게 탄압할 빌미를 주지 않고, 만세운동에 참여한 한국인의 생명을 지키기 위한 것이기도 했다. 사실상 한국인들은 두 손으로 독립 만세를 외치는 길 외에 달리 뾰족한 수단을 갖고 있지 못했다.

이에 따라 경성에서 십수만 명에 달하는 대규모 군중이 움직였어도 한국인에 의한 폭력 사건은 발생하지 않았다. 시위 도중 일본인을 구타하거나 그들의 물품을 파괴하거나 약탈하는 행위 역시 발생하지 않았다.

시위대 행렬은 질서정연하고도 장엄했다. 한국인들의 진지하고도 열정적인 만세운동을 지켜본 일본인 군수는 한국인들과 함께 독립 만세 삼창을 외치기도 했다. 개성군수 야마사키(山岐)는 개성의 호수돈여고보 여학생들이 눈물을 흘리며 독립 만세를 외치자 "나는 일찍이 어린 여학생들이 자기 조국을 위해 이처럼 열렬히 앞장섰다는 사실을 세계 어느 나라 역사에서도 본 적이 없다"라며 감격해했다. 평화적인 시위는 적국 사람들뿐만 아니라 전 세계인에게도 깊은 인상을 남겼다.

감동의 잔치 무대

────────────

경성의 비폭력 지침은 전국 각지에 전달됐다. 경성과 함께 같은 날 3·1만세운동을 벌인 평양에서도 시위는 평화롭게 시작됐다. 이날의 만세운동은 평양 주재 선교사들이 직접 목격한 뒤 비밀리에 작성한 보고서[〈3·1운동 발발보고서(Korean Independence Outbreak Beginning March 1st, 1919)〉]에 잘 기록돼 있다. 이 보고서에 따르면 평양 장대현교회 옆 숭덕학교에서 시작된 만세운동은 처음에는 평화롭게 진행됐다.

이날 숭덕학교 운동장은 3천 명(실제 1천여 명 추정)의 인파로 발디딜 틈이 없었다. 고종 황제 붕어 추념식(봉도회)을 한다는 명분으로 일단의 기독교 장로파 지도자들이 행사를 진행했다. 봉도회를 마치자마자 연단에 나선 전도사 정일선이 "알려드려야 할 중요한 것이 있다"고 운을 뗐다.

> "오늘이 내 평생에서 가장 행복하고 영광스러운 날이며, 내일 죽는 한이 있더라도 이것을 읽지 않고는 못 배기겠다."

그러면서 정일선은 경성에서 보내온 대한독립선언서를 낭독했다. 연단 앞에는 이미 태극기가 걸려 있었다. 숭덕학교 교사 황찬영과 윤원삼은 학생들과 함께 만든 태극기를 가져와 참석자들에게 나누어 주었다. 우레와 같은 박수 소리에 이어 다른 사람이 나서서 만세운동에서 지켜야 할 사항을 설명했다. '불법적인 짓을 해서는 안 되고, 모두 주어진 지시에 따를 것이며, 관헌에게 저항하지 말고, 일본인 관리나 민간인들을 해치지 말라는 것'이었다. 3·1운동의 비폭력 원칙을 지키자는 내용이었다. 이 자리에는 선교사 모펫과 일본 경찰도 있었다.

만세 삼창을 끝으로 독립선언식을 마치고 드디어 만세 시위에 들어갔다. 미리 준비한 종이 태극기를 흔들며 군중이 만세를 부르기 시작했다. "구속되어 천 년을 살기보다는 자유를 얻어 백 년을 살아가는 것이 낫다"는 평양노회장 김선두의 연설에 열광한 군중은 가두시위로 나섰다.

이때 남산현교회에서 출발한 감리파 시위대와 설암리 천도교구당에서 출발한 천도교 시위대도 행렬에 합류했다. 기독교 측과 천도교 측은 거사 때 평양 시내 세 곳에서 동시에 시위를 벌인다는 계획을 세워두고 있었다. 이에 따라 숭덕학교 교정, 남산현교회, 설암리 천도교구당에서 출발한 시위대가 평양경찰서 앞에서 만났던 것이다. 평양 시내의 도청과 재판소, 평양역 등 거리를 행진하는 시위대 행렬은 태극기 물결로 장관을 이뤘다.

평양의 만세운동은 한국인들의 감동적인 잔치 무대이기도 했다. 시위대가 숭덕학교를 출발해 서문 거리를 지나 형무소 쪽으로 방향을 돌릴 때, 숭실전문학교의 악대가 애국가를 연주하기 시작했다.(김남식,《백은 최재화 목사의 생애》) 장엄한 애국가와 벅찬 태극기 물결 속에서 시위대는 독립 만세를 목청껏 외쳤다. 일본인이 관리하고 가르친 보통학교 생도들도 거리로 나가 만세를 불렀다. 한 일본인 교사가 "우리가 오리 새끼를 키워 물에 놓아주었구나. 10년간의 노력이 하루아침에 허사로 돌아갔다"고 탄식했다.(박은식,《한국독립운동지혈사》)

만세운동 당시 숭실학교 학생들이 직접 제작해 교정에 걸었던 대형 태극기(크기 166.0×125.5cm).
(사진 제공: 숭실대 한국기독교박물관)

'평양 3·1운동'에서 주도적 역할을 한 숭실학교 교원과 학생들. (사진 제공: 숭실대 한국기독교박물관)

일본 경찰의 기만 술책

오후 7시경이 되자 시위대 수가 낮보다 배가 늘어났다. 일본 경찰은 시위대의 기세가 거세지자 태도를 바꾸었다. 사람들을 마구잡이로 잡아가 경찰서에 가두기 시작한 것이다. 여학생을 비롯해 여염집 부녀자들도 두들겨 맞은 뒤 기절한 상태로 끌려갔다. 격분한 시위대가 평양경찰서를 포위하고 경찰 관리들을 꾸짖으며 구금된 사람들을 석방하라고 요구했다. 그러지 않으면 시위대 모두를 잡아 가두라고 소리쳤다.

그러자 일본 경찰은 소방대까지 동원해 소방용 호스로 군중에게 물을 뿌리도록 명령했다. 일부 한국인 경찰들은 호스 진압 명령을 거부하고 오히려 경찰복을 벗어 던진 채 군중에 합세하기까지 했다.

당황한 경찰 관리들은 기만 술책을 동원했다. 일본인들에게 한복을 입혀 변장시킨 뒤 시위대에 섞여 들어가도록 했다. 위장한 일본인들은 경찰서에 돌을 던져 유리창을 깨뜨렸다. 일본 경찰은 이를 핑계로 무력 진압에 나섰다.

밤이 되자 일본 경찰은 더욱 잔인하게 나왔다. 소방대로 하여금 불을 끄는 데 쓰는 쇠갈고리를 무차별적으로 휘두르게 하여 거리의 사람들을 난자했다. 일제는 도장관의 요청으로 보경 1개 중대를 출동시키고 나서야 시위대를 해산시켰다. 그 과정에서 맨손의 군중을 향해 총까지 발포했다. 일제는 3·1운동 첫날부터 무차별로 총을 쏘아 피를 흘리게 했고, 착검한 소총으로 찌르거나 개머리판으로 구타하는 등 잔인하게 탄압했다. 어린 여학생들도 피해갈 수 없었다. 당시 평양의 끔찍했던 상황을 목격한 외국 선교사는 이렇게 기록했다.

> "지난 토요일(3월 1일) 저녁 군중이 다시 나가 행진하였는데, 이번에는 군인들이 총을 쏘았고 3명이 총에 맞았다. 무장하지 않은 평화적 군중에게 총을 쏘는 모습을 상상해보라. 그런데 이는 단지 시작일 뿐이었다." (Jessi M. Reiner, 〈Mother, Dearest Mother〉, 1919년 3월 19일)

또 다른 증언도 있다.

> "총에 맞아 부상한 사람이 5명이나 병원에서 숨졌다. 당국의 명령으로 사인을 총상으로 인한 것이었다고 보고할 수 없었다고 한다." (《Exhibit 1−THE DISTURBANCES IN KOREA · 1919.3.21.》)

이 기록에 따르면 일제는 아예 발포 사실을 은폐하려고까지 기도한 것이다.

3월 1일의 시위가 마무리된 이후 평양의 시위 지도부들은 모조리 일본 경찰에 붙잡혀 갔다. 이 시위로 평양 시내에서만 400여 명이 검거됐고, 이 가운데 48명이 검찰에 기소됐다.

무자비한 일제의 대응에도 불구하고 3·1운동은 그야말로 한국인들의 비폭력 평화 운동이었다. 3·1운동 초기, 만세운동에 참여한 한국인들은 민족대표들의 당부를 끝까지 지키려 애썼다. 바로 그런 이유에서 3·1운동의 정당성은 전 세계인들에게 뚜렷하게 각인되었다.

반면 일제는 일본인을 한국인으로 가장해 한국인이 폭력 사건을 일으킨 것처럼 날조한 뒤 총칼로 진압하는 일을 서슴지 않았다. 이런 일본의 기만적인 3·1운동 탄압은 외국인들에 의해 전 세계에 폭로되고 만다. 그리고 도저히 부서질 것 같지 않던 단단한 철옹성은 서서히 균열이 가기 시작했다.

평양의 3·1운동

평양의 3·1운동은 북한 정권을 세운 김일성 집안과도 얽혀 있다. 북한은 김일성의 아버지 김형직(1894~1926)이 키워낸 애국지사와 청년 학생들이 3·1봉기에 앞장섰다고 주장한다. 북한이 펴낸 《역사사전(력사사전)》에는 다음과 같이 기술돼 있다.

김형직 선생께서 뿌리신 반일애국사상과 혁명의 불씨는 3·1봉기를 계기로 이르는 곳마다 세차게 타 번지였다. 김형직 선생께서 키우신 애국적인 인사들과 청년 학생들은 평양과 강동, 만경대와 자강도 중강을 비롯한 국내외의 여러 곳에서 봉기 군중의 앞장에 서서 일제침략자들과 그 주구들의 죄상을 폭로규탄하면서 원쑤들의 탄압을 박차고 완강하게 싸웠다.

북한은 김형직이 3·1운동의 실제적 주역이자 배후이며, 김일성도 여덟 살에 평양 보통문 반일(反日) 시위에 참가했다고 설명하고 있다.

북한에서는 김형직을 3·1운동의 배후 주역으로 내세우는 근거로 '조선국민회'라는 국내 비밀 결사단체를 제시한다. 조선국민회는 1917년 3월 평양에서 결성돼 1918년 2월 일제에 의해 해체된 단체다. 그러니까 김형직이 1년이 채 안 되게 존속했던 조선국민회를 주도적으로 결성했으며, 이 단체의 중요 인물들이 평양 등지에서 3·1운동을 이끌었다는 것이다. 그런 까닭에 김일성의 손자인 김정은이 2017년 인민문화궁전에서 조선국민회 결성 100돌을 기리는 기념행사를 열기도 했다.

조선국민회가 20~30대의 평양 숭실학교 출신 청년들이 주도해 결성한 단체임은 분명하다. 이 단체는 권총을 의미하는 '돼지다리'라는 암호를 사용해가며 무기를 구입하는 등 항일 무장투쟁 성격을 띠고 활동했다. 미국 하와이에서 활동하는 박용만의 독립운동 조직과 연계해 국내외 독립운동 소식을 전국에 알리는 일도 했다.(강영심, 〈조선국민회 연구〉)

조선국민회 결성 100주년을
기념하는 중앙보고회를 소개한 북한
〈노동신문(2017년 3월 23일자)〉.

    그런데 조선국민회를 주도적으로 이끌었던 이가 김형직이라는 증거는 보이지 않는다. 반면 다른 이가 주역이었다는 증언은 많다. 조선국민회의 핵심 간부였던 배민수는 "숭실고등학교 건물에 모여서 '대한국민회 조선지부'를 조직했다. 나의 친구 장일환이 회장이었고, 백세빈은 외국통신원, 나(배민수)는 서기와 통신부장을 겸했다. 조직원은 30명으로 모두 믿을 만한 숭실학교 친구들이었다"고 회고했다.(배민수,《배민수 자서전》)

    장일환이 이 단체의 실제적 지도자였음을 말해주는 기록이다.

일제의 평안남도 경무부장이 조선국민회 회원 25명을 체포한 후 작성한 조사자료(秘密結社發見處分件, 秘受3725號)도 이를 뒷받침한다. 이 문건에서 언급한 중요 인물 순서에서 김형직은 장일환, 백세빈, 배민수에 이어 네 번째로 등장한다.

이화사학연구소 강영심 연구원의 연구에 따르면 김형직은 조선국민회 사건 이후 중강진으로 이사한 뒤 1925년 중국 지린성으로 옮겨 독립운동단체인 정의부(正義府)계 백산무사단과 연계해 활동하다가 이듬해 사망했다.

북한은 3·1운동에 김형직과 김일성 부자가 참여했다고 주장하면서도, 3·1운동은 혁명에 실패한 운동이라고 규정하고 있다. 남북의 시각이 완전히 엇갈리는 지점이다.

제 17 장

한성정부

독립의 열기가 다시 불타오르다

1919년 3월 중순, 민족대표 33인의 뒤를 이어 비선(2선) 조직책으로 활동하던 기독교 전도사 이규갑(1888~1970)은 일제 경찰의 체포를 피해 조카의 집에 은신해 있었다. 당시 일본 경찰과 헌병은 3·1운동 독립선언서를 발표한 33인 민족대표들과 3월 5일 남대문역 시위를 이끈 학생대표단을 체포한 데 이어, 나머지 시위 주동자들을 잡기 위해 밤늦게까지 검문검색을 벌이고 있었다. 그때 비밀리에 연락이 닿은 동지 8명이 그의 은신처로 찾아왔다. 향후 3·1운동의 조직화가 시급하다고 판단해, 그 방안을 논의하기 위해서였다.

"이 기회에 임시정부를 수립하고 이를 국내외에 널리 알리면 당장에 독립은 쟁취할 수 없더라도 이를 바탕으로 하여 장차 독립투쟁을 위한 전열을 정비하는 구심점이 될 것이 임시정부 같은 중심 조직 설립은 거족적인 독립만세운동을 이어가는 데 있어서 절실한 문제였다. 당시 경성은 계엄령이 내려진 듯한 살벌한 분위기였다. 대부분의 학교는 휴교령이 내려졌고 경성에서 기숙하던 학생들은 고향으로 돌아가야 했다. 학생들의 시위를 원천 봉쇄하기 위한 일제의 조치였다.

그런 상황에서도 3·1운동 시위는 계속되고 있었다. 시내 여기 저기에 '동포여 일어나라' 등 독립투쟁을 독려하는 격문이 뿌려졌다. 이에 호응해 동아연초주식회사 직공(3월 9일)과 전차 차장·운전수(3월 8~10일) 등 노동자들이 파업을 일으켰고, 상인들도 철시 운동 등으로 시위에 동참했다. 흥분한 군중은 조직력과 절제력을 갖추지 않은 상태에서 당장에 독립이라도 된 듯이 시위를 벌였다.

덩달아 강경 진압 방침을 세운 조선총독부는 총칼로 무자비하게 진압에 나섰다. 피해 규모는 커져만 갔다. 희생자 수가 늘어나면서 독립운동의 열기는 조금씩 식어가고 있었다. 독립만세운동 지도부로서는 방관할 수 없는 상황이었다.

전국 13도를 대표하다

비밀 모임 결과 이규갑이 임시정부를 조직하는 일에서 총대를 메기로 했다. 민족대표 33인의 밀사로 중국 상하이에 파견된 현순이 3월 초순 이규갑에게 보낸 편지도 영향을 미쳤다. 현순은 편지를 통해 국내에서 국민대회를 열어 임시정부 구성 절차를 밟도록 요청했다.(국사편찬위원회,《한민족독립운동사자료집》) 해외에서 설립될 임시정부가 정통성을 확보하기 위해서는 국내에서 이를 뒷받침해줄 선행 작업이 반드시 필요하다는 이유에서였다.(박찬승,《1919: 대한민국의 첫 번째 봄》)

하지만 민주(民主) 의식이 아직 익숙하지 않은 국내에서 항일 감정만을 앞세워 임시정부를 수립하기란 쉽지 않은 일이었다. 이규갑 등은 국민의 총의(總意)를 대신할 지역대표나 독립운동단체의 대표들을 한자리에 모아 대표성을 인정받기로 했다. 홍진(홍면희, 임시정부 국무령) 등이 그의 뜻에 공감했다.

3월 17일 오전, 현직 검사 한성오가 사는 경성부 내수동 64번지 자택에 사람들이 모여들었다. 이곳은 1910년 경술국치 이후 검사직을 박차고 나와 변호사로 활동하던 홍진이 일본 경찰의 눈을 피하기 위해 고른 비밀 독립운동 본부였다. 이 자리에 이규갑과 홍진을 비롯해 한남수, 이동욱, 이교헌, 윤이병, 윤용주, 이용규, 김규, 최전구, 김사국, 이민태, 민강 등 20여 명이 참석했다. 마침내 독립운동을 이어갈 새로운 지도부인 '임시정부 수립을 위한 준비위원회'가 출범했다.

준비위원회의 진행을 맡은 이규갑은 임시정부를 수립하기 위해서는 전국 13도 민족대표가 모이는 국민대회 개최가 필요하다고 역설했다. 당시 일제는 한반도를 13개 도로 나누어 도장관(도지사급)을 임명해 통치하고 있었다. 따라서 각 도를 대표하는 민족운동 지도자들이 한자리에 모인 뒤 의견 수렴을 거쳐 정부를 세워야 정통성을 인정받을 수 있다는 게 이규갑의 아이디어였다. 홍진도 이에 적극 찬동하는 발언을 했다.

"임시정부를 당장에 조직해서 일제의 침략 잔당을 깨끗이 숙청, 극복하여 수권기관으로 활용할 수 있다면 그 이상의 목표 달성이 어디에 또 있겠는가."(이현희, 〈한성 임시정부의 수립과 민족운동〉)

이날 준비위원회는 국민대회 개최 및 임시정부 수립 안건을 놓고 2시간여에 걸쳐 격렬하게 토의했다. 이 자리에서 '한성 임시정부'라는 호칭이 결정되고, 4월 2일 인천 만국공원에서 13도 대표자 대회를 열고, 이어 국민대회를 거쳐 임시정부 수립을 정식 공포하기로 했다. 승려 신분인 이동욱이 국민대회 취지서, 임시정부 선포문 및 약법(約法, 일종의 헌법) 등의 초안을 만들기로 했다.

국민대회의 13도 대표로는 조만식, 이춘규, 강훈, 김유, 최전구, 이래수, 유식, 김명선, 기식, 김탁, 박한영, 이종욱, 유근, 주익, 김현준, 박장호, 송지헌, 강지성, 홍성욱, 정택교, 이용준, 이동욱, 장정, 장근, 박탁 등 모두 25명이 선정됐다. 3·1운동을 이끈 독립지사와 학생, 농민, 노동자, 언론인, 종교인, 교육인, 기업인 등 각계 대표가 망라됐다. 임시정부 설립 실무를 맡은 이규갑과 홍진, 김규(유림 지도자), 민강(동화약방 설립자, 현 동화약품) 등은 연락책임위원 자격으로 전국 주요 도시를 순방하면서 13도 대표

1919년 4월 2일 한성 임시정부 출범을 위한 13도 대표자 회의가 열린 인천 자유공원(만국공원).
(사진 제공: 독립기념관)

자들을 찾아가 설득하는 임무를 맡았다.

일은 일사천리로 진행됐다. 보름 후인 4월 2일, 제물포 앞바다가 바로 보이는 우리나라 최초의 근대식 공원인 인천의 만국공원 광장으로 대표자들이 속속 모여들었다. 홍진과 이규갑 등이 이곳을 13도 대표자회의 장소로 지목한 데는 이름이 가진 상징성도 영향을 미쳤다. 세계 모든 나라가 모이는 '만국(萬國)의 장'에서 당당히 조선이 독립국임을 선언함으로써, 한국인들의 독립의지를 보여주자는 뜻이었다. 여기에는 공원 주변이 중국인과 서양인들이 거주하는 조계지(租界地)로서 치외법권지역이라는 점도 고려됐다.

모임은 은밀히 진행됐다. 공원 광장에 모인 사람들은 수신호를 했다. 대화는 일절 삼가고 흰 헝겊이나 창호지를 둘러 싸맨 손가락을 서로 내밀어 확인했다. 3·1만세운동이 전국 각지에 퍼져 격렬한 시위가 잇따르면서 몇몇 대표자들은 지명수배 상태였기 때문이다. 남대문역에서 기차를 타고 인천역에 내린 이규갑도 일본 경찰의 불심검문을 받았다. 다행히 변호사인 홍진이 "이 사람은 약장사하는 사람으로 우리와 일행"이라고 둘러대는 바람에 간신히 위기를 피할 수 있었다.

오후 3시경에 '하얀 손가락'을 내민 사람들을 점검해보니 20명가량이었다. 경성에서 활동하던 기독교계, 불교계, 천도교계, 유림계 대표들은 대부분 참석했다. 지역대표로는 강화, 수원 등 인천 인근 지역 인사들이 눈에 띄었다. 하지만 일본 경찰의 경계가 워낙 삼엄해 먼 거리에 있는 지역대표들은 참석하지 못했다. 공원 인근 음식점으로 자리를 옮긴 이날 참석자들은 경성에서 국민대회를 개최하고 임시정부 수립을 선포할 것을 결의했다.

독립운동의 정통성을 확보하라

4월 17일경 비밀 독립운동 본부인 한성오의 집. 이동욱이 기초한 약법과 국민대회 취지서 및 선포문 등이 공개됐다. 취지서에는 13도 대표자 25명의 서명까지 실렸다. 임시정부 기구 및 각원(閣員) 명단도 최종 완성됐다. 현석칠이 목각(木刻)으로 국민대회 취지서와 선포문 등을 6천 장 인쇄했다. 특히 취지서에는 독립운동의 정통성이 33인 민족대표들의 독립선언과 13도 민족대표자들이 모인 국민대회에 있다는 점을 분명히 밝혔다.

"우리 민족은 손병희 등 33인을 대표로 하여 정의와 인도에 기본한 조선 독립을 선언했다. 지금 그 선언의 권위를 존중하며 독립의 기초를 견고케 하며, 인도(人道) 필연의 요구에

보답하기 위하여, 전 민족 일치의 동작으로 대소 단결과 각
지방 대표를 종합하여 본 회를 조직하고 이를 세계에 선포
하노라."

또 취지서와 함께 결의사항으로 일본 정부의 조선통치권 및 군
대 철거, 파리강화회의에 파견할 대표자 선정, 일본 관청에서 재
직하는 조선인 관공리(官公吏) 퇴직, 일반인의 각종 납세 거부 등
을 담았다. 약법은 제1조 국체(國體)는 민주제를 채용하며, 제2조
정체(政體, 정치체제)는 대의제를 채용한다고 밝힘으로써 대의민
주제를 천명했다.

한성 임시정부에서 선출한 초대 각원 명단 역시 화려했다. 집
정관 총재 이승만, 국무총리 총재 이동휘, 외무부총장 박용만, 내
무부총장 이동녕, 군무부총장 노백린, 재무부총장 이시영, 법무
부총장 신규식, 학무부총장 김규식, 교통부총장 문창범, 참모부
총장 유동열, 노동국총장 안창호 등 13명이 임명됐다. 이규갑은
회고에서 "한성정부는 해외망명 정부로 유지할 수밖에 없었기에
우리가 임명한 각원들도 전부 당시 해외에서 활동하고 있는 애국
지사들로 충당했다"고 설명했다.

4월 23일, 한성정부가 마침내 선포됐다. 김유인과 이춘균 등을
위시한 학생 조직이 자동차에 '국민대회, 공화 만세' 등의 문구가

1919년 4월 23일 한성 임시정부 출범이 선포된 종로 보신각 터.

쓰인 깃발을 달고서 국민대회 취지서, 임시정부 선포문, 임시정부령 등이 담긴 전단을 뿌렸다. 종로구 서린동 봉춘관에서 열리기로 예정된 13도 대표자회의는 대표들의 불참으로 무산됐지만, 학생들은 종로 보신각과 탑동공원 등 경성 사대문 안 곳곳에서 임시정부의 탄생을 선포하며 길거리를 누볐다. 시위 주도자들은 현장에서 일본 경찰에 체포됐다. 이 사건으로 검거된 사람만 모두 270명에 달했다.

　한성정부 성립은 곧장 대중에 알려졌다. 이날 지하신문인 〈국민신보〉 제11호는 "조선 13도 대표자가 모여 우리 2천만의 뜻을 모아, 세계에 부끄러움이 없을 만한 가(假)정부를 세밀하게 조직해 열국에 공포했다"고 보도했다. 이뿐만 아니었다. 한성정부의 성립 사실은 윤치호 등 기독교 세력과 국내 민족운동계에 알려지고 경성발 연합통신(UP) 소식으로 해외 한인사회에까지 널리 퍼져갔다.(이현주,〈임시정부의 수립과 초기 활동〉)

이규갑은 후일담에서 한성정부는 국내에서, 그것도 13도를 대표하는 이들에 의해 선포됐다는 점에서 해외의 독립지사들에게 정통성 있는 정부로 인식돼 향수와 동경의 대상이 됐다고 자랑했다. 실제로 상하이 임시정부의 이승만 임시대통령은 1925년에 탄핵을 받았을 때 "나는 한성 임시정부의 대통령인데 누가 정통성 있는 나를 감히 면직시킬 수 있겠느냐"면서 승복하지 않았을 정도로 한성정부의 법통성과 정통성을 강조했다.(이현희,〈대한민국 임시정부와 지암 이종욱〉)

한성정부는 국내에서 수립되었다는 점, 3·1운동과의 연계성이 깊다는 점, 국민대회라는 국민적 절차에 의해 수립되었다는 점, 정부 조직과 각료 구성에서 짜임새가 뛰어나고 해외 지도자를 총망라한 대표자로 조각되었다는 점 등에서 큰 주목을 받을 수밖에 없었다.

대한민국 임시정부

3·1운동 후 국내외에는 6개의 임시정부가 난립했다. 모두들 임시정부를 수립함으로써 대외에 독립 의지를 확실하게 보여줄 필요성을 느꼈기 때문이다. 이 중 러시아령의 대한국민의회, 중국의 상하이 임시정부, 국내의 한성정부 등 3곳만이 정부 기능이 가능한 조직이었다.

1919년 4월 초, 한성 임시정부 설립을 추진하던 홍진과 이규갑은 상하이에서도 정부 수립을 추진한다는 소식을 접했다. 두 사람은 실체 파악을 위해 4월 8일 중국 상하이로 한남수를 파견했다. 임시정부가 이미 수립됐으면 '인삼 시세가 나쁘니 사지 말라'를, 아직 수립되지 않았으면 '인삼 시세가 좋으니 사라'는 내용을 전보로 보내기로 정했다. 4월 23일로 예정된 국민대회와 한성 임시정부 선포를 하느냐 마느냐의 문제가 여기에 달려 있었다.

그런데 국내에서 한성정부 공포를 위한 작업이 완료됐음에도 불구하고 상하이에서는 아무런 연락이 없었다. 홍진과 이규갑은 4월 20~21일경 국민대회 취지서와 한성정부 조각 명단 등 서류를 담뱃갑과 성냥갑 속에 숨겨 직접 상하이로 향했다. 23일의 국민대회 개최 실무는 학생 조직을 담당하는 현석칠과 김사국 등이 맡기로 했다.

이규갑과 홍진 일행은 상하이로 향하는 내내 좌불안석했다. 이규갑이 속내를 털어놓았다.

3개의 임시정부가 통합해 출범한 상하이의 대한민국 임시정부 청사.

"만약 상하이에 이미 임시정부가 섰다면 결국 두 개의 정부
가 생긴 셈이니 이를 어찌할 것인가. 양자 간에 서로 불화라
도 생긴다면 우리 독립운동 전선에 크게 혼선이 생길 것이
아닌가."

이들의 우려대로 상하이 임시정부는 이미 4월 11일 출범한 상
태였다. 따라서 이들이 상하이에 도착했을 때는 한성 임시정부와
상하이 임시정부의 통합이 급선무였다. 이규갑과 친분이 있던 도
산 안창호가 이때 결정적인 역할을 했다. 이규갑은 당시 상황을
이렇게 설명했다.

"어렵게 생각했던 두 정부의 통합 문제도 도산과 내가 마주
앉아 의논하게 되니 쉽사리 그 실마리가 풀려나갔다. 명목
상 도산이 상하이정부의 대표이고, 내가 한성정부의 대표
자격이었지만 우리는 십년지기(十年知己)의 다정한 해후 분
위기를 지켜나갔다. 나는 한성정부보다 상하이정부가 단 며
칠이라도 먼저 생겼으니 우리가 상하이정부에 합류하는 것
이 마땅하다고 양보하였다. 도산은 아무리 상하이정부가 활
동력 있는 쟁쟁한 독립투사들이 만든 것이라 하더라도 이는
나라를 떠난 유랑자들에 의하여 된 정부이고 한성정부야말

로 국내에서 13도 대표들이 모여 국민의 총의에 입각하여 만든 정부이니 상하이정부를 해체하고 한성정부의 법통에 순응해야 한다고 극력 사양하였다."(이규갑 증언, '한성 임시정부 수립의 전말', 〈신동아〉 1969년 4월호)

마침내 1919년 8월 28일 임시의정원 회의에서 두 정부의 통합을 위한 '임시정부개조안'이 제출됐다. 안창호는 임시의정원에서 "우리 정부의 유일무이함을 내외에 표시하는 일이 긴요한데, 이렇게 하려면 상하이정부를 희생하고 한성의 정부를 승인하는 것이 온당하다"고 발언했다. 결국 9월 6일에 임시헌법개정안과 임시정부개조안이 모두 통과 확정했다. 한성과 상하이의 임시정부 통합은 러시아령에 설립된 임시정부와의 통합에도 지대한 영향을 미쳤다. 그 결과 1919년 9월 11일 3개 임시정부가 통합한 대한민국 임시정부가 상하이에서 출범했다.

제 18 장

폭발

만주 벌판에 메아리친
수만 한인의 함성

1919년 2월 중순, 독립만세운동의 열기는 두만강과 압록강을 넘어 룽징(龍井, 용정)과 옌지(延吉, 연길) 등 만주 벌판까지 달구어 나갔다. 두만강 대안(對岸) 북간도의 민족 지도자들은 그해 2월 8일 일제 심장부 도쿄에서 본국의 젊은 유학생들이 독립선언을 거행했다는 감격적인 소식을 들은 데 이어, 본국 수부(首府)인 경성에서도 만세운동이 곧 시작된다는 비밀통신을 접했다.

용정을 중심으로 활동하는 민족운동 지도자들은 일제강점 이후 10년 만에 맞이한 절호의 기회를 놓칠 수 없었다. 그간 북간도의 한인들은 친일파 중국인 장쭤린(張作霖)이 이끄는 군벌 세력과 실제적으로 만주를 지배하는 일제로부터 이중 압박을 받아오면서 움츠러들어 있었다. 자연히 항일 독립운동도 크게 위축돼 있던 터다. 그런 상황에서 본국과 일본에서 발화된 만세운동은 간도에서 독립투쟁을 활성화할 수 있는 훌륭한 '불씨'였다. 이에 따라 '가만히 있기를 처녀같이' 처신하던 간북(墾北, 북간도) 인사들이 '달리는 토끼'처럼 날쌔게 움직이기 시작했다.(계봉우, '북간도, 그 과거와 현재', 〈독립신문〉 1920년 1월 10일자)

북간도의 기백

1919년 2월 18일과 20일, 연길현 국자가(局子街) 하장리(下場里) 박동원의 자택에서 연길과 용정 등 북간도 지역을 대표하는 33명의 지도자가 모였다. 이 비밀 회합에서 간도 지역의 모든 한인단체와 지역이 연대해 독립만세운동을 펼칠 것을 결의했다.

만세운동 집결지로는 용정이 지목됐다. 용정은 한민족의 북간도 개척사에서 가장 오랜 도시이자 한인들의 정치·경제·문화의 중심이라는 상징적 의미가 컸기 때문이다. 일제도 본방인(本邦人, 조선인과 일본인)을 보호한다는 명목으로 이곳에 총영사관을 설치해놓고는 실제로는 만주 침략의 본거지로 삼고 있었다. 일제는 총영사관 내에 막강한 경찰 조직과 수감 시설까지 갖추고 밀정들을 부리면서 한민족의 독립운동을 탄압했다. 그렇기에 북간도 지도부는 의도적으로 이 지역에서 독립선언을 함으로써 일제 통치를 정면으로 거부한다는 점을 분명히 보여주고자 했다.

일제강점기 용정 일본총영사관 건물. 지하에는 당시 항일 투사를 탄압했던 고문실이 있다.

해란강의 봄 축제

───────────────

용정의 독립만세운동은 본국 및 러시아 연해주와 연대해 펼치는 것으로 계획됐다. 이를 위해 김약연, 정재면, 강봉우 등을 본국과 연해주에 파견해놓고 있었다. 달이 바뀌어 3월의 첫날, 경성에서 만세운동이 시작됐으나 북간도 지도부는 알지 못했다. 파견된 동지들의 소식도 없었다.

그로부터 며칠 뒤인 7일, 본국의 독립만세운동 동향을 파악하

기 위해 두만강을 건너갔던 강봉우가 드디어 돌아왔다. 용정의 영
신학교 교감인 강봉우는 간도의 주요 동지들에게 격문을 보내 연
길 국자가로 모이라고 했다. 그는 회의에 참석한 동지들에게 자신
이 보고 들은 본국 만세운동과 향후 계획을 상세히 보고했다.

북간도의 지도자들은 상황이 급박하게 돌아간다고 판단했다.
즉시 '독립운동기성회'라는 조직을 결성, 3월 13일 용정에서 단
독으로 시위운동을 벌이기로 확정했다.〔일본 외무성, 〈본방인재류금
지관계잡건(本邦人在留禁止關係雜件) 기밀 제19호〉〕

용정 북쪽의 서전벌(서전대야)에서 '조선독립축하회'라는 이름
으로 독립선언식을 거행한다는 결정이 내려지자, 용정의 한인들
은 바쁘게 움직였다. 독립선언서와 대회 개최 통지서 등을 포함
한 문건은 은진중학교 지하실에서 등사된 뒤 북간도 전역으로 릴
레이식으로 전달됐다. 각급 학교의 교원과 학생들을 중심으로 대
회 경비와 안전을 책임지는 '충렬대'와 '자위단' 등이 조직되고,
군중을 대상으로 항일운동을 선전하는 '강연단'까지 가동됐다.
용정에 거주하는 의병 출신 한학자 김정규는 일기장(양력 3월 11일
자)에 당시 상황을 이렇게 기술했다.

"지사(志士)와 인인(仁人)들이 비밀리에 회의를 갖고 오는 12
일(양력 3월 13일) 갑자일에 사람마다 태극기를 들고 곧장 일

본영사관이 있는 용정시로 가서 대한 독립 만세를 부르기로 하였다. 그리고 이날 일본과 경성, 평양, 원산, 부산, 대구, 그리고 해삼위(블라디보스토크) 등에서도 같은 소리로 이 거사를 하기로 하였다. 이는 우리 2천만 동포가 기사회생하는 날이니 어찌 맹렬히 일어나 각성하지 않을 수 있겠는가. 나는 환호작약하면서 동쪽을 향해 머리를 조아리고 '황천이 우리 한인을 불쌍히 여겨 태운(泰運, 커다란 운수)을 열어주는구나'라고 했다."

1919년 3월 13일, 바로 그 '태운'의 날이 왔다. 그런데 아침에 개었던 날씨가 급변했다. 황진과 굵은 모래바람까지 휘몰아쳤다. 회오리바람이 어찌나 세차게 불던지 하늘의 구름 떼가 모였다 흩어졌다 하기를 반복했다. 그럼에도 서전벌에는 수많은 한인들이 조금의 동요도 없이 모여들었다. 사람들의 얼굴에는 오히려 밝은 화색이 감돌고 있었다.

용정에서 30리 거리의 명동학교 학생들은 인근의 농민들과 함께 1천여 명의 대오를 이뤄 서전벌에 도착했다. 두만강변의 자동에 위치한 정동중학교 교사와 학생들은 북을 울리면서 하룻밤을 꼬박 걸어 당일 아침에 도착했고, 용정 시내의 은진중학교를 비롯한 동흥학교, 대성학교 학생들도 속속 대회장으로 모여들었다.

훈춘(琿春)과 안투(安圖) 등 먼 지역에 사는 사람들은 거사 전날 이미 도착해 용정 사람들과 함께 행사 준비를 했다. 소수의 친일파를 제외하고는 각지의 모든 한인이 태극기를 앞세우고 서전벌로 모여든 것이다.

인산인해를 이룬 이날의 군중 수가 얼마인지에 관해선 정확히 알려진 정보가 없다. 계봉우가 쓴 글 '북간도, 그 과거와 현재'에서는 3만 명 이상이라고 추산한 반면, 일제 보고서에는 6천 명으로 축소돼 있다. 중국 당국의 기록에는 2만여 명으로 집계돼 있다. 분명한 것은 북간도의 궁벽진 산촌에 사는 아낙과 초동목아(樵童牧兒)까지 한마음으로 나선 거족적 운동이라는 사실이다.

정오가 되자 시내 교회당에서 울리는 종소리를 신호로 '조선독립축하회'가 시작됐다. '대한독립'과 '정의인도'라고 쓰인 두 개의 오장기(伍丈旗)가 나부끼는 곳을 중심으로 서전벌의 군중이 둥글게 모여들었다. 대회 부회장 배형식의 개회 선언과 함께 대회장 김영학이 '간도 거류 조선민족 일동' 명의로 된 '독립선언 포고문'을 낭독했다. 독립을 '선언'하는 게 아니라 '선포'하는 자리이기 때문에, 행사는 당연히 조선 독립을 기념하는 축제 분위기였다.

"포고문 낭독이 끝나자마자 군중은 '기뻐서 흐느끼고(喜而泣) 흐느끼면서 뛰며(泣而踊)' 태극기를 흔들었다. 용정 시내 800

서전대야에서 수많은 한국인이 운집한 가운데 독립 만세 시위를 벌이던 모습. (캐나다 선교사 촬영)

여 호의 한인 가옥마다 내걸린 태극기들도 모래를 날리는 광풍 속에서 힘차게 펄럭였다." (계봉우, '북간도, 그 과거와 현재', 〈독립신문〉 1920년 1월 10일자)

군중은 천지가 진동하듯 "조선 독립 만세"를 소리 높여 외쳤다. 눈 녹은 해란강의 첫봄을 알리는 우레처럼 만세운동 함성은 용정의 비암산까지 메아리쳤다. 독립축하회를 마친 군중은 '대한 독립'이라 크게 쓴 깃발을 앞세우고 거리 시위에 들어갔다. 명동학교와 정동학교의 교원과 학생 320여 명으로 조직된 충렬대(총대장 김학수)가 앞장서고 북과 나팔을 멘 악대가 시위대를 이끌었다. 시위 군중이 태극기를 흔들고 "조선 독립 만세"를 외치며 일본총영사관이 있는 쪽으로 행진했다.

중국 군벌과 일제의 결탁

일제는 물론 마냥 구경만 하고 있지 않았다. 일본 외무성과 군부에서는 간도의 조선인 거사 정보를 일찌감치 입수해 중국 정부에 압력을 가했다. 이를 빌미로 군대까지 투입하려는 일제 동향을 파악한 동북군벌 장쭤린은 한인의 독립운동에 대해 강경한 조치로 탄압할 것과 일본영사관과 거류민 보호를 지시했다.

이에 따라 연길 도윤(道尹, 행정책임자) 장스취안(張世銓)은 상급기관의 지령과 일본영사관 측의 압력에 굴복해 조선인의 독립운동을 동정하고 지지하던 태도마저 바꾸었다. 장스취안은 장쭤린의 휘하인 멍푸더(孟富德)를 용정촌 군경 총지휘관에 임명해 조선인들의 거사를 제지하라고 지시했다.

거사 당일인 3월 13일, 중국 군경은 모든 시가지와 골목골목을 엄중하게 경계하고 있었다. 이때 서전벌 행사를 마치고 커다란 파도같이 밀려드는 시위대를 맞아 어쩔 줄 모르던 멍푸더는 휘하 군사들에게 발포 명령을 내리고 말았다. 시위대 중에는 용정 동산학교와 연길 도립중학교에 다니는 한족(漢族) 학생들도 다수 끼어 있었지만 아랑곳하지 않았다.

한동안 총성이 울렸다. 순식간에 무수한 시위 군중이 쓰러졌다. 중국 군대의 무차별 사격으로 현장에서 13명의 시위대원이 희생되고 30명 이상의 부상자가 발생했다. 체포된 사람만 해도 300명이 넘었다. 부상자들은 즉시 제창병원으로 옮겨져 응급치료를 받았다. 치명상을 입은 6명은 병원으로 옮겨져 치료를 받던 중 숨졌다. 결국 이날 시위운동으로 공덕흡을 비롯한 19명이 목숨을 잃었다.

이와 관련, 일본영사관에서 파견한 순경(사복 경찰)들이 중국 군경 틈에 숨어 있다가 총질에 가담했다는 증언도 있다. 만세운동에 참여한 허춘림은 "(일본) 순경들은 멍푸더 부하의 헛총질에 시위대가 혼란해진 틈을 타 권총으로 시위자들을 쏴 죽이고 부상을 입혔다"고 말했다.(김동화, 〈연변역사연구〉)

3·13만세운동 희생자들의 유해는 3월 17일 5천여 한인의 애도 속에 용정 동남쪽 교외의 양지바른 언덕에 안장되었다.

이들의 희생은 만주 벌판 한인들의 울분을 폭발시키는 도화선이 됐다. 그해 5월 말까지 훈춘을 비롯해 북간도 전역에서 50여 회에 이르는 크고 작은 만세운동이 전개됐고 무려 7만 5,500여

룽징에 있는 3·13반일의사릉. 3·13만세운동에서 순국한 13명의 열사를 모신 곳이다.

명이 시위에 가담했다.(《독립운동사 사료》 제6집)

한국인들의 반일독립운동은 이후 중국인들에게 큰 공감을 불러일으켰으며, 실제로 중국의 반제반일투쟁인 5·4운동에 영향을 미쳤다는 중국 측 보고서(조문기, 〈중국 東北의 조선족과 3·1운동〉)도 있다.

3·13만세운동을 기점으로 북간도의 평화적 시위는 무장투쟁으로 확대된다. 1920년 1월 군자금을 마련하기 위해 일본은행권 15만 원을 쟁취한 이른바 '15만 원 탈취 사건'은 용정 3·13만세운동에 참여한 '철혈광복단' 학생들이 그 주인공이었다. 봉오동 전투와 청산리 전투 같은 무력 항일투쟁도 용정 만세운동의 연장선상에서 이뤄진 결과였다.

해란강

중국 지린성 옌볜조선족자치주에 속한 용정은 이곳을 방문하는 많은 한국인에게 타국으로 비치지 않는다. 볏논으로 뒤덮인 넉넉한 들판, 떡갈나무와 소나무가 군데군데 군락을 이룬 야트막한 야산과 구릉, 시내를 가로질러 유유히 흘러가는 강줄기는 정겨운 우리 농촌의 풍경과 다를 게 하나 없다. 소마저 한국의 들판에서 볼 수 있는 누렁 황소다.

산과 들뿐만이 아니다. 지금도 용정 주민 중 대다수는 우리와 같은 핏줄인 조선족이다. 거리의 간판에는 한글이 쓰여 있고, 그 밑에 중국식 한자(간체자)가 작게 표기돼 있다. 낯설지 않은 환경에서 우리말로 된 간판을 읽다 보면 마치 한국의 조그만 소도시

가곡 〈선구자〉로 유명해진 일송정 정자에서 바라본 룽징 시내 가운데로 해란강이 흐르고 있다.

에 와 있는 듯한 착각마저 들 정도다.

　　일제강점기 한인들은 자신들이 피땀 흘려 옥토로 바꿔놓은 용정을 남의 땅이라고 생각하지 않았다. 함경북도 회령에서 두만강을 건너 용정까지는 120리(약 47킬로미터) 길. 걸어서도 한나절이면 도착할 수 있는 이웃 지역이었다. 한인들은 두만강과 압록강을 넘어 간도(만주)로 이동할 때 "건너간다"거나 "들어간다"라고 표현했다. 타국으로 이주하는 것이 아니라 이웃 마을을 드나드는 정도로 여긴 것이다. 본국(本國)의 고향에서 3·1독립만세운동이 전개됐을 때 용정이 적극적으로 동참한 것은 이처럼 지리적으로 나 정서적으로 가까웠기 때문이다.

'3·13 반일의사릉'은 용정에서 시인 윤동주의 고향인 명동촌으로 가는 길 왼쪽 산자락에 자리를 잡고 있다. 기념비를 중앙에 두고 앞줄에 9기, 뒷줄에 4기 등 현재 13기의 능이 조성돼 있다.

북간도의 민족운동을 촉발한 의사들이 묻힌 이 능은 일제강점기에도 회령에서 두만강을 건너 용정으로 향하는 동포들이 반드시 참배하던 순국묘역으로 기려졌다. 이곳에 서서 능 앞에서 참배하면 이들이야말로 해란강변을 누비던 진정한 선구자이자 독립투사라는 느낌을 받게 된다.

용정 시내에서 서남쪽으로 약 4킬로미터 떨어진 비암산 정상에는 가곡 '선구자'에 나오는 일송정(一松亭)이 우뚝 서 있다. 이곳에서는 평야 지대에 조성된 용정 시가지가 한눈에 내려다보인다. '선구자'에 등장하는 한 줄기 해란강이 천 년 넘게 흐르는 모습도 보이고, 저녁 종소리로 비암산을 아련하게 울리던 용주사 터도 가까이 있다. 바로 그곳에 '해란강가에서 말 달리던 선구자(항일 독립투사)'의 모습이 지난 100년간 '거친 꿈'처럼 깊이 잠들어 있었다.

제 19 장

염원

어찌 감히 떨쳐 울지 않을쏘냐

압록강 건너편의 서간도 삼원포(三源浦) 추가가(鄒家街)에 처음 둥지를 튼 은양학교는 당시 본국에서 유학생이 몰려올 정도로 유명한 민족학교였다. 일찍이 두만강 대안(對岸) 북간도 용정의 명문 명동학교와 비교되기도 했다.

1919년 3·1운동에서 은양학교와 명동학교 학생들은 이심전심으로 행동을 같이했다. 명동학교 학생들이 용정에서 3·13만세운동을 주도하던 때에 맞추어 은양학교 학생들은 삼원포에서 하루 앞선 3월 12일에 만세운동을 이끌었다.

새로운 공감대

만세운동은 삼원포 외곽에서 독립선언 경축대회라는 이름으로 시작됐다. 이 모임에는 은양학교 교사와 학생, 삼원포교회 교도, 서간도 한인들의 독립운동조직인 부민단 간부 등 수백 명이 참석했다. 이때 서간도 한인사회 부녀자들이 조직한 부인회의 박혜숙 회장이 "최후 1인까지 최후 순간까지 나라를 위하여 목숨을 바치자"는 혈서를 보내와 대회장을 숙연케 했다.

삼원포 서문 밖에서 축하회를 마친 군중은 운동 지휘부의 인솔에 따라 저마다 태극기를 들고 '나의 강산을 돌려달라' '일제는 어서 물러나라' 등의 구호가 적힌 플래카드를 들고 강을 건너 삼원포 시내로 향했다.

물론 일제는 이를 방관하지 않았다. 중국 관헌들을 앞세워 온갖 방해공작을 펼쳤고, 시위 군중을 막기 위해 중국 군경까지 동원했다. 중국 군경은 삼원포 시내로 대규모 군중이 몰려오자 "한인 폭동이 일어났다"며 총을 쐈다. 중국 군경의 사격으로 시위대 중 9명이 쓰러졌다.(한국독립유공자협회,《중국동북지역 한국독립운동사》·채영국,《서간도 독립군의 개척자: 이상룡의 독립정신》)

이런 참사에도 불구하고 서간도의 만세 시위는 중단되지 않았다. 3월 17일 다시 삼원포 내 각 민족학교 학생들의 주도로 1천여 명의 군중이 운집했다. 시위대는 압록강을 건너 국내로 진격해 시위운동을 전개하자는 결의까지 했다.

그러나 서간도의 민족운동 지도자 이시영이 이들을 간곡히 만류했다.

이시영은 총칼로 무장한 일제가 버티고 있는 고국으로 무작정
들어갔다가는 희생만 따를 뿐이니 3·1만세운동의 정성과 열기를
축적해 독립전쟁에 총력을 기울이자고 설득했다. 부민단의 중책
을 맡고 있던 이시영의 발언은 서간도 민족운동 지도자들의 방침
이기도 했다. 서간도 지도자들 사이에는 혈전(血戰)을 치러 독립
을 쟁취해야 한다는 공감대가 일찌감치 형성돼 있었던 것이다.

한민족 자치국의 탄생

서간도 한국인들의 이런 정서는 이 지역 개척사와 무관하지 않
다. 서간도 이주민들은 대개 국외에 독립전쟁 기지를 구축하려는
목적으로 압록강을 건너온 국내 명망가들과 그들의 가족이 주류
를 이뤘다. 이들은 1910년 국권을 빼앗기자 은양학교가 자리 잡
은 삼원포 추가가 일대를 독립전쟁 전략기지로 지목했다. 삼원포

는 사면이 산악으로 둘러싸고 있어 자연 성벽을 쌓아 놓은 듯하고, 물이 흐르는 곳이어서 토지도 비옥했기 때문이다.(《동아일보》 1920년 8월 21일자)

이주자들의 면면은 화려했다. 경성에서 삼한갑족(三韓甲族)의 명성을 떨치던 이회영 6형제(건영, 석영, 철영, 회영, 시영, 호영) 가문과 경북 안동의 기개 높은 '혁신 유림'인 이상룡, 김대락, 김동삼, 가문, 선산의 명망가 허위 가문 등이 이곳에 모였다.

삼원포 추가가에 정착한 이들은 1911년 자립 경제와 민족 교육을 목표로 경학사(耕學社) 및 부설기관인 신흥강습소(신흥학교, 신흥무관학교)를 설립했다. 특히 이 중에서 '신민흥국(新民興國, 백성

1911년 서간도 삼원포 대고산 자락 아래에 자리 잡은 신흥강습소(신흥학교) 터.

330

을 새롭게 하고 나라를 융성하게 일으킴)'의 이념을 따라 세워진 신흥
강습소는 나중에 무장 독립전쟁에서 큰 공을 세운 무관학교로 바
뀐다.

문재인 대통령이 2017년 광복절 축사에서 노블레스 오블리주
의 모범으로 언급했던 안동 '임청각'의 주인 석주 이상룡은 칠언
(七言) 한시로 '추가가의 결사'를 회고했다.

추가가에서 결사하니 충심은 굳고

밭 갈고 배우는 일 취지 모두 완전했다

모든 정신 신흥학교에 쏟아부어

양성한 군사 비호(飛虎)보다 날랜 오륙백

[〈만주기사(滿洲紀事)〉]

500∼600명의 군사력까지 확보한 경학사는 이후 부민단-한족
회-서로군정서 등으로 그 계보를 이어간다. 이 단체는 가문 단위
의 끈끈한 단결력과 농업 생산을 통한 경제력을 기반으로 만주와
연해주 일대에서 가장 규모가 크고 오래 지속된 독립운동기지로
활약한다. 일제가 이곳을 '서간도 불령선인의 핵심 소굴'로 지목
해 가혹하게 탄압한 것도 이런 배경에서였다.

한편 서간도의 민족 지도자들이 본국에서의 3·1운동 소식을

들은 때는 부민단(1915년 혹은 1916년 결성)을 이끌 때였다. 당시 부민단을 지도한 이상룡은 3·1운동에 대해 이렇게 평가했다.

"종국에는 실패할 것이 불 보듯 뻔하나 대의(大義)의 관두(關頭, 가장 중요한 지경)에서 어찌 감히 떨쳐 울지 않을쏘냐."《만주기사》)

비폭력을 앞세운 평화적 만세운동이 결실을 맺기 어렵겠지만 전 세계에 한국인의 독립 열망과 의지를 밝히겠다는 대의에 기꺼이 동참하겠다는 뜻이었다.

이에 따라 부민단 지도부는 중국 관헌들을 자극할 수 있는 대규모 대중 집회 대신 서간도 한인사회 곳곳에서 독립운동 열기를 고취하는 소규모 게릴라식 만세운동을 조직했다. 이후 류허(柳河)현과 통화(通化)현을 비롯해 환런(桓仁), 판스(磐石), 지안(集安) 등 서간도 각 지방에서 부민단 지회 분회 등을 통해 독립만세운동을 전개했다.

부민단은 또 3·1운동을 계기로 잘 훈련된 군대를 동원해 조직적인 국토 수복 작전을 수행하고자 했다. 이를 위해 부민단은 1919년 4월 한족회로 발전적 해체를 했다. 군자금과 무기를 확보한 한족회는 산하에 서로군정서라는 무장단체를 조직했다. 신흥

백하 김대락의 고택에서 후손 김시중 씨가 훈장을 받은 의성 김씨 선조들이 만주에서 한 독립운동을 설명하고 있다.

학교 출신 무관들이 서로군정서를 주도했다. 1920년 6월 일본 정규군을 처음으로 대파한 봉오동 전투에서도 서로군정서 독립군은 큰 역할을 했다.

당시 〈동아일보〉는 한족회의 고무적인 활동을 대서특필했다.

사면을 청산록수(靑山綠水)로 두른 봉천성 삼원보(삼원포)에서 2천 호의 조선 민족이 모여 한족회가 다스리고 있으며 소중학의 교육까지 담당해 완연히 한민족의 자치국을 일구었다. (〈동아일보〉 1920년 8월 21일자)

서간도는 3·1운동이라는 자양분을 토대로 1920년대 항일무장 투쟁의 중심지로 우뚝 섰다. 상하이의 임시정부에 버금가는 '소국가(小國家)' 체제도 구축했다. 하지만 아쉽게도 오늘날 그 시초가 된 삼원포 대고산 자락 아래의 경학사와 옥수수 창고를 빌려 개교했다는 추가가의 신흥강습소는 흔적조차 찾아볼 수 없다.

서간도

중국 지린성 퉁화시 류허현에 들어서면 가지를 길게 늘어뜨린 수양버들이 거리 양쪽에 줄지어 서 있다. '버들강'이라는 현(縣) 이름을 상징하는 이곳 버드나무엔 우리나라 항일 독립운동가들의 한(恨)이 배어 있다. 이 지역 조선족에 따르면 일제강점기 시절 만주까지 침탈한 일본 군경은 독립지사들의 목을 베고, 그 머리를 류허현 삼원포의 강변 버드나무에 매달았다고 한다.

일제의 잔악한 행위는 류허현의 조선족 학교에서도 찾을 수 있다. 1912년에 설립된 류허현 삼원포의 조선족실험소학교(현 조선족완전중학교)의 약사(略史)에서는 이렇게 전한다.

(조선족실험소학교의 전신인) 은양학교는 1920년 11월 5일 일제의 '경신 대토벌' 때 배일(排日) 교육을 했다는 죄명으로 강제 폐교되었고 교장 방기전은 일제의 군도에 의해 몸이 네 동강 나 순국하였다. 은양학교 선생으로 있던 안동식 장로의 두 아들도 일제의 군도에 잘려 몸이 세 동강 나 순국하였으며, 나이 많은 안동식은 자기 손으로 판 무덤에 산 채로 매장됐다. 일송 김동삼의 동생이자 삼광학교 교장 김동만은 두 손을 꽁꽁 묶인 채 일제의 군마에 의해 10여 리 끌려간 뒤 군도에 잘려 순국하였다.

일제로부터 3·1운동과 항일투쟁의 온상지로 지목된 은양학교는 폐교됐다가 1922년 동명학교라는 이름으로 다시 문을 열었다. 이후 동명학교의 맥을 이어받은 조선족완전중학교에서는 아쉽게도 옛 모습을 찾아볼 수 없다. 학교 관계자에 따르면 "갈수록 조선족 학생 수가 줄어들어 다른 학교와 통합됐고, 학교 위치도 원래 터에서 바뀌었다"고 한다.

한편 강윤정 경상북도독립운동기념관 학예연구부장은 〈동아일보〉와의 인터뷰에서 만주 독립운동에서 서간도 한국인들의 농업혁명에 주목해야 한다며 "경북 안동 출신의 독립운동가 이상룡, 김동삼 등이 '수전(水田, 논) 농사'에 성공하면서 서간도 지역은 무장 독립운동의 중심 기지가 됐다"고 말했다. 당초 서간도에서 중국 농민들은 조, 콩, 감자, 옥수수 등 한전(旱田, 밭) 작물만 생산했다. 척박하고 거친 땅에서 많은 물을 필요로 하는 논농사는 불가능했기 때문이다. 그런데 '말고삐나 잡고 글만 읽던' 서간도의 안동 출신 양반들이 무수한 실패를 거듭한 끝에 논농사에 성공했다. 이상룡은 1914년 당시의 감회를 이렇게 기록했다.

> 만주 사람들 논농사 지을 줄 몰라
> 거친 벌판 빌려 올벼 늦벼 파종했다
> 가을 되매 흰 쌀밥에 물고기 반찬
> 그제사 얼굴 볼그레 생기 돌아오다
>
> 《만주기사》

논농사 성공의 파급 효과는 컸다. 우선 중국 동북 3성(지린성, 랴오닝성, 헤이룽장성)의 식문화가 바뀌었다. 옥수수와 감자 등을 주식으로 삼던 만주인들이 영양가 높고 맛있는 수갱자(水粳子, 조선 쌀)에 매료됐다. 이후 농업의 주도권은 땅을 가진 중국인이 아니라 기술을 가진 한국인들 손으로 넘어왔다. 한국인들의 정치적 위상은 크게 향상됐다. 중국인들은 한국인을 경원시하던 태도를 바꾸었다. 중국 지방 당국은 만주로 넘어오는 한국인을 적극 유

신흥무관학교 학생들이 농장에서 작업하고 있다. (사진 제공: 우당이회영선생기념사업회)

치하고 한인촌 지도부에 자치 행정을 위임하며 신뢰를 보냈다.

독립전쟁기지 운영도 활성화됐다. 그동안 명맥만 유지하던 무관 양성소인 신흥무관학교에 자금 지원이 가능해지자 인재들이 구름처럼 몰렸다. 경학사 창설 당시 이회영 일가와 이상룡 일가가 고국에서 가져온 재산으로 세운 신흥무관학교는 1, 2년 만에 문을 닫을 형편까지 몰렸다. 하지만 논농사로 부를 축적한 한국인들이 자치기관인 부민단에 자금을 댔고, 그 덕분에 신흥무관학교는 성장할 수 있었다.

신흥무관학교는 특정 개인의 재산 출연으로 설립됐지만 이후의 성장과 발전에는 서간도 한국인들이 낸 자금이 결정적인 역할을 했다. 이는 신흥무관학교가 국민의 세금으로 운영된 대한민국 최초의 정식 사관학교로 인정받는 근거이기도 하다.

강덕상, 《여운형 평전》, 역사비평사, 2007.

고재석, 《한용운과 그의 시대》, 역락, 2010.

고하송진우선생전기편찬위원회, 《독립을 향한 집념: 고하 송진우 전기》, 동아일보사, 1990.

국사편찬위원회, 《한민족독립운동사자료집》, 국사편찬위원회, 1991.

김기석, 《위대한 한국인, 남강 이승훈》, 태극출판사, 1976.

김남식, 《백은 최재화 목사의 생애》, 성광문화사, 1981.

김도연, 《나의 인생백서》, 삼성문화사, 1965.

김삼웅, 《의암 손병희 평전》, 채륜, 2017.

김영호, 《항일운동가의 일기》, 서문당, 1975.

남파박찬익전기간행위원회, 《남파 박찬익 전기》, 을유문화사, 1989.

데이빗 현, 《현순목사와 대한독립운동》, 한국독립역사협회, 2002.

동아일보사, 《3·1운동 50주년 기념 논집》, 동아일보사, 1969.

동아일보사, 《3·1운동 70주년 기념 논집》, 동아일보사, 1992.

류자명, 《나의 회억》, 료녕민족출판사, 1985.

박걸순, 《한용운의 생애와 독립투쟁》, 독립기념관 한국독립운동사연구소, 1992.

박용옥, 《김마리아: 나는 대한의 독립과 결혼하였다》, 홍성사, 2003.

박용옥, 《한국 여성 항일운동사 연구》, 지식산업사, 1996.

박은식, 《한국독립운동지혈사》, 서문당, 1975.

박찬승, 《1919: 대한민국의 첫 번째 봄》, 다산초당, 2019.

배민수, 《배민수 자서전》, 연세대학교출판부, 1999.

서울특별시시사편찬위원회,
《서울항일독립운동사》,
서울특별시시사편찬위원회, 2009.

서정주, 《서정주문학전집》, 일지사, 1972.

숭실대학교 한국기독교박물관,
《기독교민족사회주의자 김창준 유고》,
숭실대학교 한국기독교박물관, 2011.

의암손병희선생기념사업회,
《의암 손병희 선생 전기》,
의암손병희선생기념사업회, 1967.

이경남, 《설산 장덕수》, 동아일보사, 1982.

이광수, 《나의 고백》, 춘추사, 1948.

이숙, 《죽사회고록》, 신흥인쇄소, 1993.

이정식, 《한국민족주의의 정치학》,
한밭출판사, 1982.

이종일, 《묵암비망록》, 1898~1925.

인촌기념회, 《인촌 김성수전》,
인촌기념회, 1976.

정원택, 《지산외유일지》, 탐구당, 2018.

존 케네스 갤브레이스, 원창화 옮김,
《불확실성의 시대》, 흥신문화사, 2011.

중앙100년사 편찬위원회, 《중앙백년사》,

중앙교우회, 2008.

채영국, 《서간도 독립군의 개척자:
이상룡의 독립정신》, 역사공간, 2007.

천도교중앙총부 교서편찬위원회,
《천도교약사》, 천도교중앙총부, 2006.

천주교 명동교회, 《뮈텔 주교 일기》,
한국교회사연구소, 1986.

최승만, 《나의 회고록》,
인하대학교출판부, 1985.

최은희, 《조국을 찾기까지》, 탐구당, 1973.

피터 현, 임승준 옮김, 《만세!》, 한울,
2015.

한국독립유공자협회, 《중국동북지역
한국독립운동사》, 집문당, 1997.

한용운, 《한용운 전집》, 신구문화사, 1973.

현순, 《현순자사》.

原奎一郎, 《原敬日記》, 福村出版, 1967.

Henry Chung(鄭翰景), 《The Case of
Korea》, G. Allen & Unwin, 1921.

The Japan Chronicle, 《The
independence movement in
Korea》, 1919.